GOTA NISHIDERA'S

# UNBREAKABLE NOTEBOOK METHOD

— 始めるノートメソッド —

西寺郷太

BLUE NOTE
Blue Note
Nishidera Gota
2020/01/09 · 13:02
LIFE
NOBLE NOTE
SECTION
100 SHEETS
G. N.

Campus
History of the World.
Bobby·J·GØTA
西寺郷太
GOTA NISHIDERA
KOKUYO

TBS RADIO FM90.5 & AM954
EVERY MONDAY-FRIDAY
18:00-21:00
宇多丸 from RHYMESTER
TBSラジオ
AFTER 6 JUNCTION
アフター6ジャンクション
radiko.jp
LIFE
NOBLE NOTE
SECTION
100 SHEETS
MUSIC MOVIE,
MUCH MORE MIRACLE
A5 5m/m
LIFE
Made in Japan

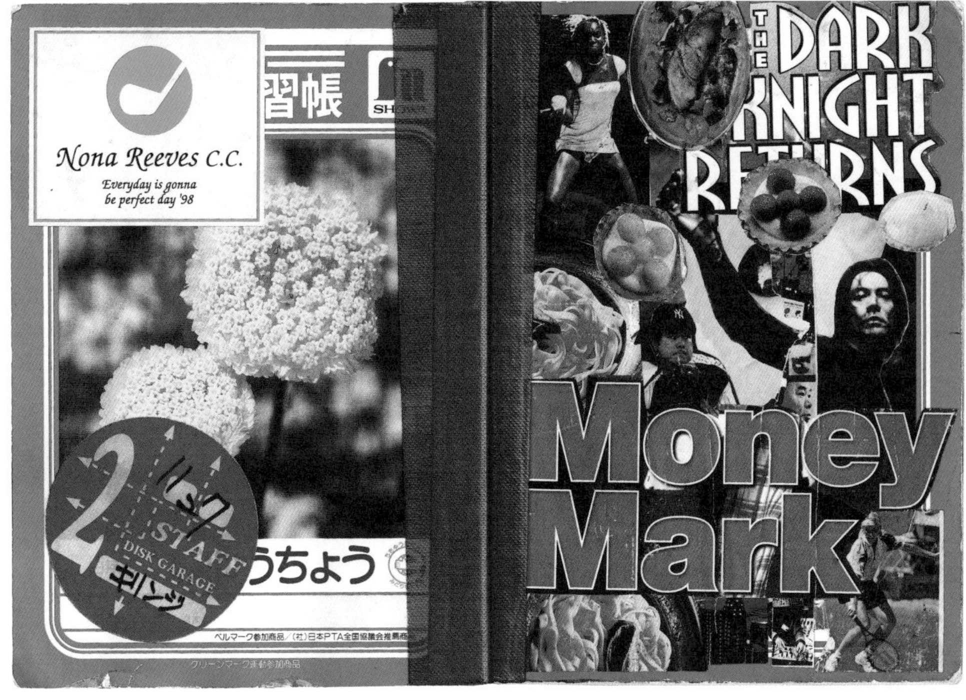
Nona Reeves C.C.
Everyday is gonna
be perfect day '98
習帳
2
STAFF
DISK GARAGE
うちょう
ベルマーク参加商品／(社)日本PTA全国協議会推薦商
グリーンマーク運動参加商品
THE DARK
KNIGHT
RETURNS
Money
Mark

# もくじ

# はじめに

2019年7月に刊行した『伝わるノートマジック』は、おかげさまで多方面から好評をいただきました。ただし出版、音楽、ノート術などジャンルを超えた様々な読者の方からこのような声も聞こえてきました。

「ノートの作り方をもっと具体的に教えてほしい」
「出来上がりだけを見ても、どうすればこんな構成のノートが作れるのかがわからない」

第1弾『伝わるノートマジック』は、意図的に僕のノートそのものを見せる大胆な構成にし、解説などもあえて最小限にとどめる手法をとりました。あたかも写真集のように……。ノート術の関連書籍は世の中に数多く出ていますが、このようなビジュアルから大きくアプローチした本は実はないと思ったので。まずは見ていてワクワクするなぁ、楽しそうだなぁ、そのことを伝えるのが最大の目的でした。

生前のプリンスは彼の伝記『THE BEAUTIFUL ONES プリンス回顧録』(DU BOOKS)を書こうとしている共同執筆者の若いライターに、こう言ったそうです。
「彼は『マジカル(魔法の)』という言葉にとりわけ大きな嫌悪感を示した。私は志望動機書の中で、同義の言葉を使っていた。『ファンクは魔法の対極にある』と彼は言った。『ファンクとは、ルールだ』ファンクは人間的で、努力と汗の結晶である――そのどこにも、魔法など存在しない、と。」(押野素子・訳)

なんと偶然、僕も『伝わるノートマジック』の「はじめに」でこう書いていました。

「『マジック』というのはたまたまできる『まぐれ』ではなくて、積み重ねられる『ルーティン』となり、何度でも再現できなければ意味がありませんから」

僕のノート作りも、一定のルールに基づき、規律を守って書いているだけなのです。

幸いなことに、本の刊行後に「西寺郷太のノート術講座」というお題でイベントやワークショップをやってほしいというリクエストをいただき、改めて自分の思考の手順を振り返り「こうすれば誰でも伝わるノートが書ける」というメソッドを整理することができました。生徒のみなさんにも大好評でしたので、書籍化に意味があると考えたのです。

本書は、それらを再構成したものです。

どうしたら、見開き1枚か2枚に大事な情報をまとめられるのか。

どのようにすれば、自分や伝えたい相手の記憶にしっかり残るものにできるのか。

プレゼンや会議には、どう役に立てたらいいのか。子どもたちが学校や塾の授業を、どのように整理すればいいのか。

みなさんのお役に立てればと心から願っています。

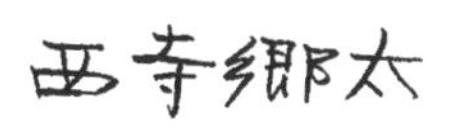

CHRONICLE

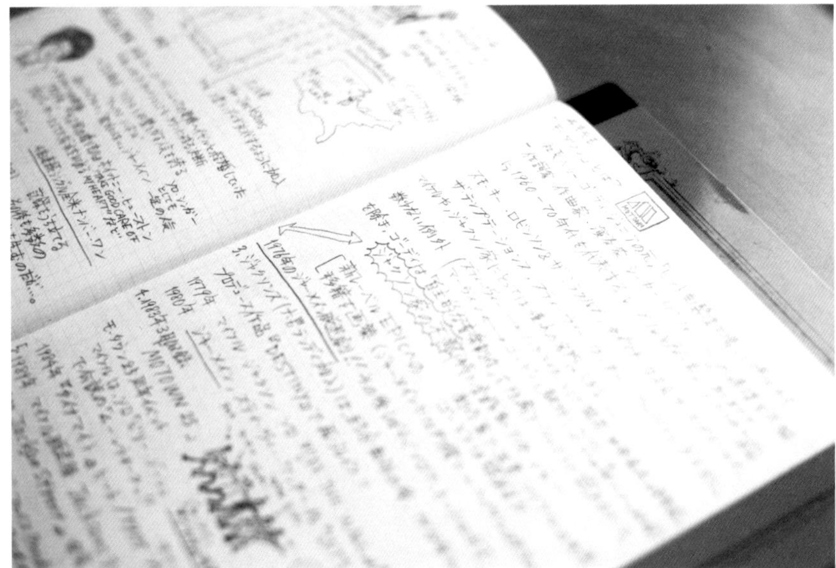

# 第1章

# METHOD

# 西寺流ノート「メソッド」

「メソッド」とは、僕が少年時代から積み上げてきた
方法のこと。はじめにそれらを具体的に説明し、
最終的には見開きのページにまとめられるようになるまでを
レクチャーします。まずはこの通りに試してもらえれば、
あなたもノートが作れるようになります。

# PART 1 ノートを書く前に ——ノート選びと使い方の基本

## 1 | ノートの選び方

まずはゼロから始めましょう。情報を紙に記すには、もちろんメモでも広告の裏でもなんでもいいのですが、僕は結果的にもっとも便利なのでノートを使っています。僕なりの道具選びのポイントを紹介します。

実は本書や『伝わるノートマジック』は、A5判変形サイズで編集しています。僕がメインで使っているノートは、それより大きな**A4サイズ**です。

具体的にメーカーと商品名を挙げると、**ライフ「ノーブルノート」。**

無地や横罫（横に線が引いてあるもの）ではなく**方眼（マス目）が僕の好み**で、裏写りがイヤなので常に**下敷きを敷いて**書いています。

ノーブルノートはA4だと1500円くらいですが、1冊で1～2年使えますから、良いものを選んだほうが結果自分のためになると僕は感じています。

あまり小さいサイズのノートだと、読みやすい字でたくさん書き込むことができません。僕はノートに絵や地図を描くことを推奨していますが、ノートが小さいとうまくいきませんよね。自由な「余白」を残しておくことが大切です。

中央の2冊が、愛用している「ノーブルノート」。とてもなめらかな書き心地で、他のノートとの違いが一瞬でわかります。

## 2 | 一度に複数のノートを使う

僕はいつも、ノートを常に2、3冊同時に使います。

といってもノートごとにジャンルで明確に分けたりはせずに、たとえば2020年であれば2、3冊のノートにその時期に考えたこと、まとめたことをなんでも書いていきます。これは10代から積み重ねてきたやり方で、もっとも自由に創造や考察ができるポイントだと思っています。

どうして一度に何冊も必要なのかというと、ふたつ理由が考えられます。

ひとつめの理由は、あるテーマについて書くときには、1冊のノートの中で前後5ページくらいを空白にしておき、あけて使うから。

たとえばラジオ番組でビートルズの特集をするとき、「1968年のビートルズ」について見開き2枚でまとめたとします。その次に全然違う「吉田茂」の話を入れてしまうと、またビートルズについて「今度は1969年はどうだったのか」という特集を組むときに、一貫性や流れを持って書きにくい。僕の場合はラジオの仕事で「この前の話の続きをしてください」という注文や「遡って、もっと昔の話をしてほしい」という依頼があるので、1968年のビートルズについてまとめたページを見返しながら1969年や1967年のビートルズについても書き加えられたほうがいいわけです。

みなさんが何かについて勉強したことや、仕事の会議用資料をまとめるときも同じだと思います。中国の王朝の話でも、企画書でもなんでも、過去のある時期に自分がまとめたものと連続性を確認しながら書けたほうがいいですよね。

僕のたくさんあるノートの中の一部。形もメーカーもバラバラですが、交ぜて同時に使っています。

通常、ノートは前から順番に使っていきますから、「続きを書く」ことはそんなに難しくありません。でも中には「その前のこと、前の時代、前の手順を書く」こともありますから「前後をあけて書く」ことが僕にとっては大事なのです。

パソコンで文章を書くとき、何が便利かといえば、コピー・アンド・ペーストができること。ノートでも間をあけておけば、時系列や手順の順番通りに並べて書くことができ、あとで見返したときにつながりがわかりやすくなります。

ですので僕はノートを頭から順番に書いていって終わり、というページ通りの使い方はしません。そこに妙な固執をする必要がないという意味で、ある種のランダムさ、適当さを残しておくのが自分のやり方です。

さらに、ノートを分ける理由はもうひとつあります。

かっちり丁寧に書いたほうがいい場合と、カジュアルで乱雑に書いたほうがいい場合があるからです。

これについては、次の項目で詳しく説明します。

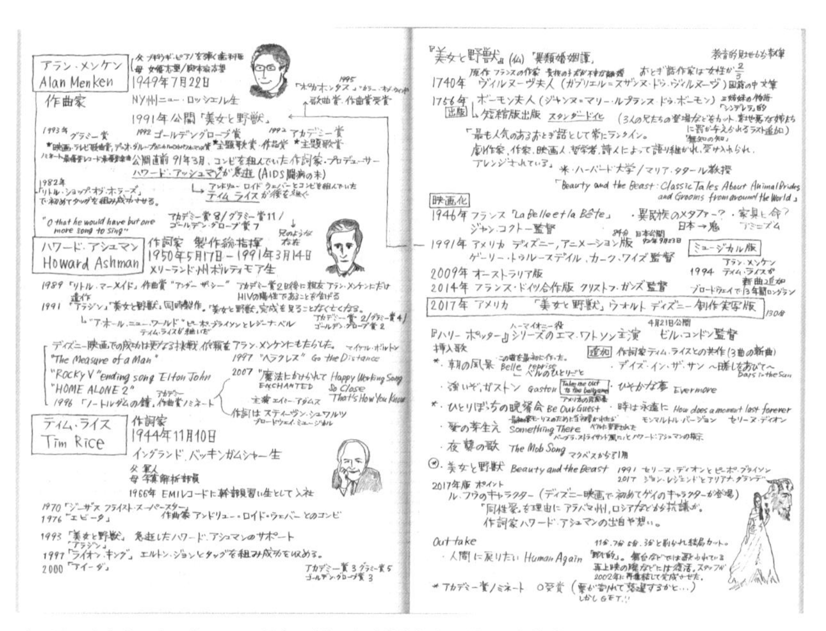


これはかっちり書いたほうがいい場合の例。映画『美女と野獣』の作曲家アラン・メンケンをまとめました。

# 3 | ノートのスタイルは？

ノートは、次のようなスタイル（種類）に大きく分類できます。

1. 学ぶノート（STUDY）
2. 伝えるノート（PRESENTATION）
3. 生み出すノート（CREATION）

の3つ。
それぞれどんなふうに書くべきか、どんな書き方を避けるべきかが違います。
書き始める前に、どのスタイルのノートなのかを意識しておきましょう。

## 1. 学ぶノート（STUDY）

インプットを目的とした、自分用のノート。先生をはじめ、誰かの話を聞いて、それを自分なりに受けとめるために書くもの。『伝わるノートマジック』にも収

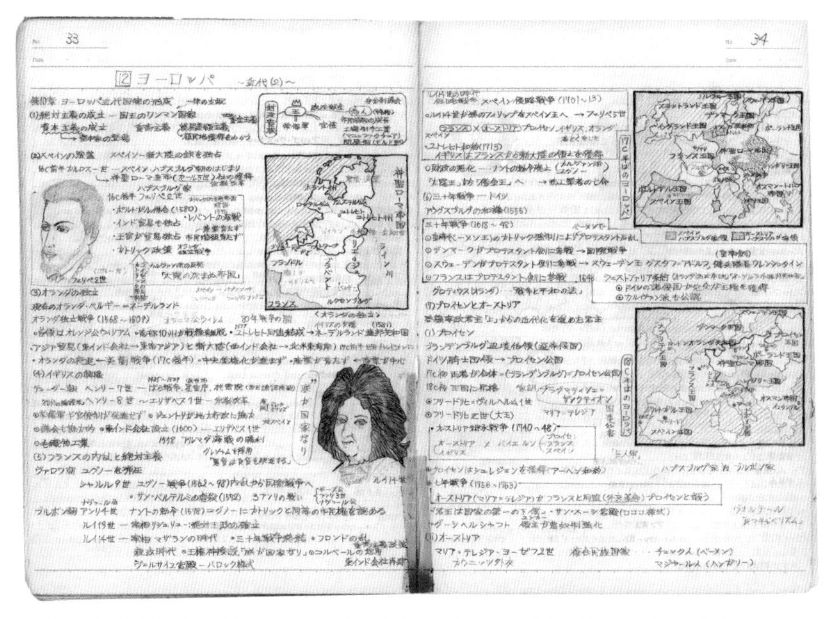

僕が高校生のときに作った歴史のノート。インプット・学習を目的とする、自分のためのものです。

録された、僕が高校時代に書いた世界史のノートもこれですね。学校の授業を受けて個人的に書いたもので、当時は他の人に見せることを前提にはしていません。

講座や講義を聞いてまとめるだけでなく、本を見ながらまとめる、映画のポイントをまとめるなど、受け手として記すものはすべてこのパターンです。

ただ単に黒板を右から左に書き写すだけでなく「学ぶノート」では要点を整理して、自分なりの言葉で腑に落ちるように咀嚼することが大事ですね。

これは受験勉強のときにも役立ったのですが、自分で絵を描く世界史のノートを1冊完全にビジュアルとして覚えると、たとえば探しているワードがナポレオンの絵の上にあったなぁというような思い出し方もできます。なので特に学生の人は、自分なりの完璧なノートを「参考書化する」ことを僕自身はオススメします。

## 2. 伝えるノート(PRESENTATION)

アウトプットを目的とした、人に話したり、渡したりすることを前提にしたノート。僕の場合で言うと、ラジオなどに出演するときに作るのがこのタイプ。自分以外の誰かに何か伝えたいことがあって、わかりやすくまとめたもの。

正確に言うとこれはさらに、自分用の覚え書きというケースと、配付してみん

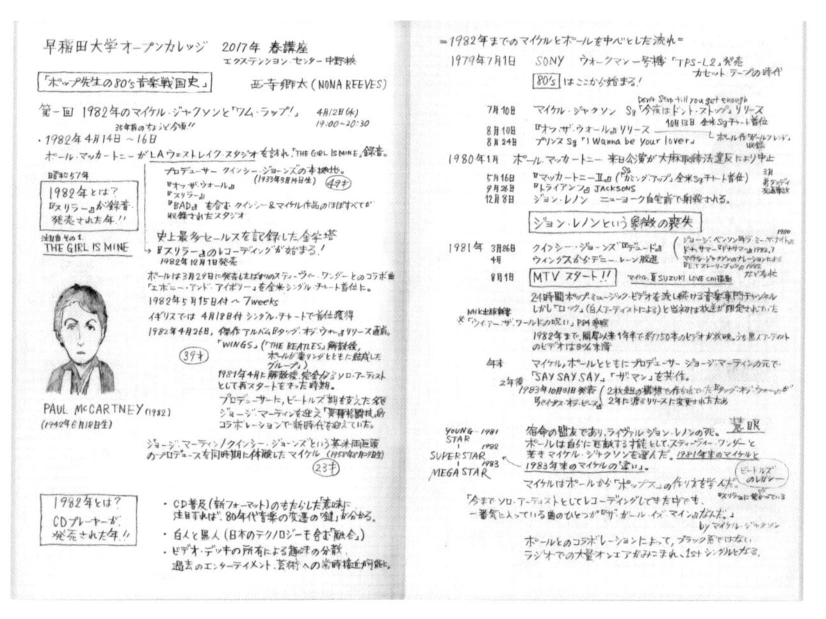

人に話したり、渡したりするノート。早稲田大学オープンカレッジの講座でレジュメとして配りました。

なに見てもらうケースの2種類に分けられます。

自分用はいわば「台本」。配付するケースは講義などで配られるような「レジュメ」に当たります。

たとえばマイケル・ジャクソンの『スリラー』が発売された前後の話をしてほしいと依頼され、自分用の「台本」としてノートにまとめるとします。僕自身は『スリラー』にまつわる一連の出来事に関しては落語のようにストーリーを覚えてはいるのですが(笑)、いざ話すときに細部の日付、曲名を間違えたり、うっかり忘れてしまうと困ります。ですから、いつでも事実を確認できるように整理したノートを手元に用意しておきます。自分が安心してトークに臨めますし、持っていくだけで相手からの信用度も格段に増します。

そして聞き手に渡す場合は、レジュメを通じて話すことを内容の全体像を事前に相手に伝えることができます。

「伝えるノート」でノートをまとめるときのポイントは、出来事の年月日を入れること、大事な事実を正確に入れること。

多くの人は話をするとき、事実よりもまず「評価」や「感情」のほうが先に来がちなんですね。

でも伝える側の僕としては、なるべく「1982年度にグラミー賞を受賞したこのアルバムが……」とか「この曲は何月何日にリリースされ、いついつにBillboard Hot 100でナンバー1になった」という「事実」を語るようにしています。気持ちとしてはもちろん「この人の存在は重要」「ここが大事だ」と思っているわけですけれども、「すごい」とか「面白い」といった評価や主観だけで話されても、聞いている側は「その根拠は何?」「あなたが好きなだけじゃないの?」となりますよね。ですからこちらの伝えたいことに信憑性を感じてもらう、はっきりとイメージしてもらうためには、意見よりも根拠になる事実を揃えて並べていく必要があります。事件、出来事、データ、売上枚数などの数字、受賞歴、発売日、誰か複数の重要人物の証言といったものですね。

また、レジュメには「相手に間違えてほしくないので、こちらで書いてあらかじめ渡しておく」というケースもあります。

「学ぶノート」ではノートに書いた事実がたとえ間違っていても、読むのは自分だけですから、気づいたときに直せば問題ありません。ところが「伝えるノート」の場合は話したり配ったりするタイミングで間違いがあると、聞き手に誤った情報が伝わってしまいます。あるいは聞き手がミスに気づくことで、こちらの信用度が下がってしまいます。ですから「学ぶノート」のとき以上に、事実を確認するのが重要でしょう。

### 3. 生み出すノート(CREATION)

最後にアウトプットを目的としたもの。自分用のアウトプットのノート。何かを「生み出す」ためのもの。僕の場合であれば、作詞や物語、小説などを書くときのもの。他にも企画を考える、何かの名前を決めるなど、いろいろなケースが考えられます。

これは「学ぶノート」「伝えるノート」とは全く違います。「伝えるノート」も自分以外の誰かに伝えるためのものですが、「生み出すノート」はこれ自体を誰かに見せたりするわけではなく、自分が忘れないため、インスピレーションの源を記した殴り書きに近いもの。「生み出すノート」に書かれた言葉を元に「伝えるノート」にまとめ直すこともあるでしょう。

この「生み出すノート」の場合は、書くのはノート、メモ帳、チラシの裏など紙ならなんでもいいと思います。なぜなら、高級なノートの1ページ目から気合を入れて書いていこうとすると、雑多なアイデアが思いつかないからです。

90年代に僕の大好きなイギリスのバンド「ブラー」がCDを出したとき、世界各地のホテルのロゴ入りのメモ用紙が歌詞カードになっていました。ジョン・レノンもホテルの紙に歌詞を書いていたりしましたね。ツアー先、旅先でふと思いついたものを書き留めたのでしょう。

アイデアというのは、全部が全部うまくまとまるわけではないですよね。もしかしたら捨てないといけないアイデアかもしれない。だとすると最初から気合を入れて良い紙、良いノートに「書いてやろう」と思って書くと、なんだかもったいないと感じる気持ちが想像力をスポイルしてしまいます。特にネタ出しするときにはひとつひとつの質より先に、まずは量や勢いが大事ですから「ムダになるかもしれない」「もったいない」と思って遠慮してはダメなんです。ホテルに置いてあるメモ帳でもなんでもいいから適当な紙に、できるだけ自由にラフに書く。僕もレコーディングでスタジオなどに行くとメモ帳に「捨ててもいい」くらいの気持ちで、心を軽くして歌詞を書いたりもします。

ただ僕の場合、常にメモ帳を使っていると紛失してしまって「せっかくいいアイデアだったのに」となったり、「そういえば前に書いたあれ、今考えてるのと組み合わせたら使えるかも」と思い出したときに見つからなくなる恐れが大きいので（笑）。

ですから、めんどくさがりな僕は、結局、大きさがバラバラのノートを2、3冊くらい持ち歩いて、めちゃくちゃに交ぜて使うことが多くなりました。「学ぶノート」「伝えるノート」「生み出すノート」を交ぜてしまうことによって、自分の中で高級ノートに書くことに対するハードルを下げる（笑）。ややこしいですけど（笑）。「今思いついたこと早く書き留めておきたいけどどうしよう。あ、手元にあるやつでいいや」とすぐに出せるような気持ちを持ってノートに接すること。

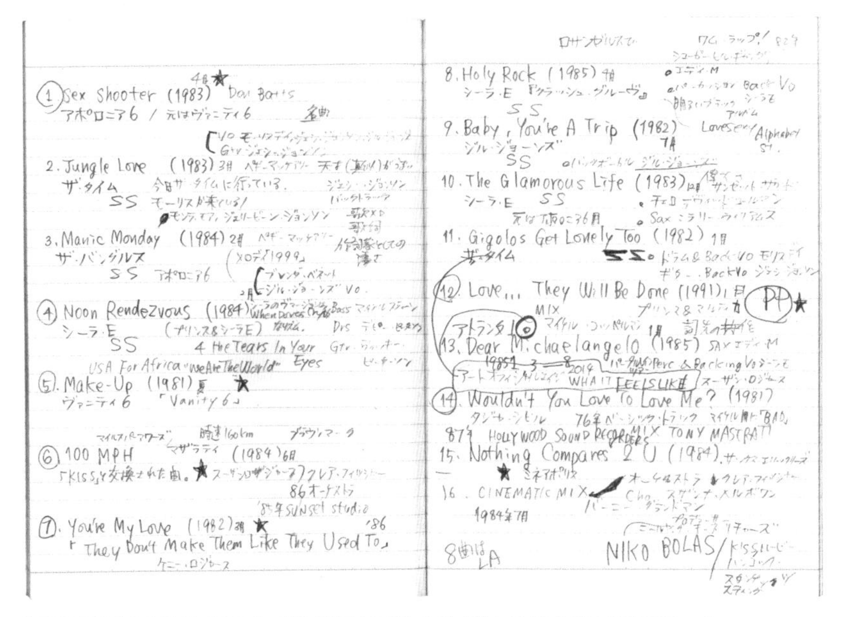


物事を創造するためのメモです。見た目にはこだわらず、思いついたらすぐに書きましょう。

「学ぶノート」や「伝えるノート」の場合は後述するように、とにかくもくじ、見出しが大切なのですが、「生み出すノート」の場合はいわゆる「マインドマップ」で書くこともあります。たとえば真ん中に「10周年記念シングル」や「夏の曲」みたいなキーワードをひとつ置いて、そこから思いついたこと、絶対に言わなきゃならないことなどをワーッとツリー状に広げて書いて拡散させた上で収束していく、というやり方ですね。

話を戻しますが、全部のノートを「気合を入れてきっちり整理していくもの」だと位置づけてしまうと、書くことに対してハードルが上がってしまいます。でもラフにネタ出し、アイデア出しをしたいときや、パッと思いついたものを書き殴ってすぐにアウトプットしたほうがいいことだってあるわけです。

「伝えるノート」が一番かっちり、「生み出すノート」は一番ラフ、「学ぶノート」はその中間と覚えていてください。

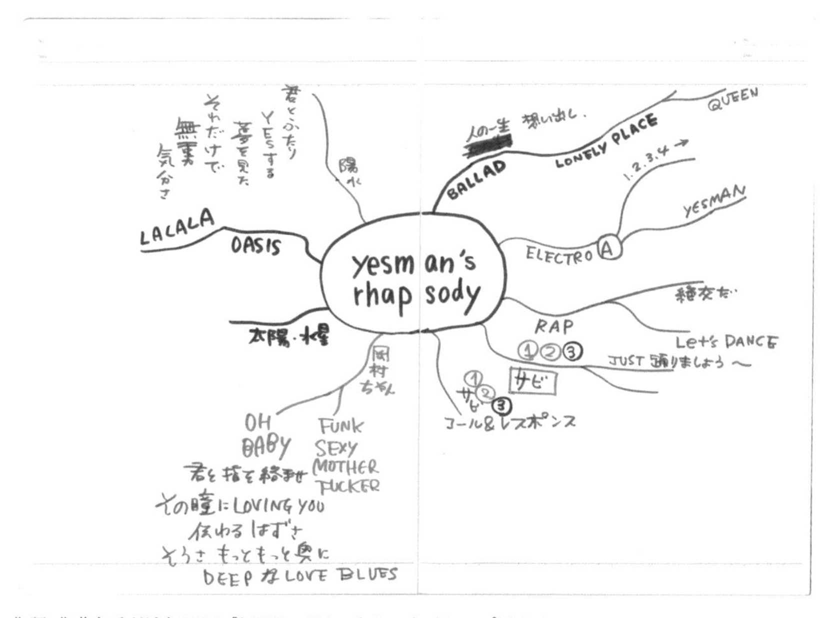


作詞・作曲を手がけたV6の「kEEP oN.」。そのマインドマップでのメモ。

# 4 ｜ 誰に向けてのノートなのかを確認する

ノートを用意して、どのスタイルのものかを確認したら、次は誰に向けて書くのかを改めて意識します。

何かを伝えるとき、プレゼンするときには、誰を相手にしたものなのか考えることが大切。「伝えるノート」や「生み出すノート」では特にこれが大事。

誰に向けてなのかによって、どんな情報を入れたほうがいいのか、省いていいのか。このプレゼンを通じて相手を説得するための資料としてのノートなのか、ただ相手に基本情報がしっかり伝わればいいのか。目的によって力の入れどころが変わってきます。これはラジオ番組やテレビ番組でも同じこと。

ノートはトークや会議を円滑に進めるため、言いかえるとこちらの話を聞く相手のためにあります。ノート自体が大事なのではありません。そこを間違えないでください。

TBSラジオ『アフター6ジャンクション』の「ダリル・ホール＆ジョン・オーツ特集」のために作ったレジュメ。

## 5 ｜ 鉛筆と消しゴムだけを使って書く

僕は現在、基本的にHBの鉛筆と消しゴムだけを使ってノートを書き、赤のボールペンで色を替えたりすることはありません。

何か強調したいときはアンダーラインを引くか、カギカッコでくくる。こういうときにマス目だと書きやすいので、方眼のノートを使うようになりました。

どうして赤ペンを使わないかというと、大事だと考えている場所が、タイミングや状況によって変わってくることがあるからです。加えて、ノートをコピーして資料として配付する場合、必ずしもカラーコピーができるわけではないので色は分けないようになりました。

ただ自分のためのノートの場合、楽しくまとめられればそれでかまいません。

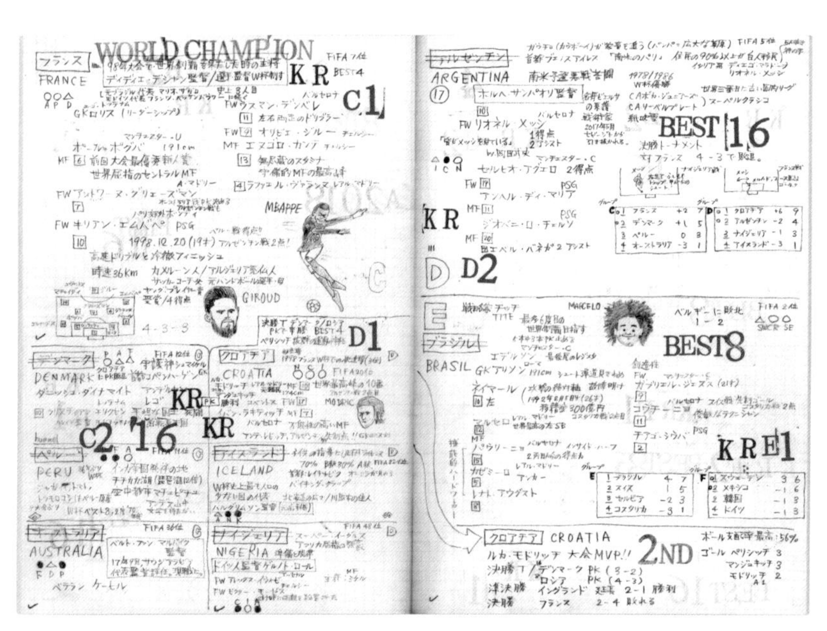


自分のためのノートなので、遊びでスタンプをおしてみました。FIFAワールドカップの記録です。

## 6 | ノートは見開き1枚か2枚でまとめる

ノートは表紙を開いて1ページ目からではなく、見開きのページから書き始めましょう。僕のノート術では仕上がりの見やすさを重視することもあり、**基本単位は見開き**。何か新しいことを書き始めるときは、**必ず左ページから入りましょう。**

ノートは片面で捉えない。左と右はセット。そうやって見開きで全体を俯瞰しながら情報を配置するクセをつけてもらえればと思います。

さらに僕はノートを人に配るときには、見開き1枚（2ページ）か2枚（4ページ）に必ずまとめるようにしています。

「資料を作ってきました！」と言われて配付されたものが何十枚もあると、それだけでうんざりしちゃうんですよね。**配る用のノートは、必ずペラ1枚か2枚になるように量を調整するのが大切です。**

情報が多すぎると、受け手が消化しきれなくなって逆効果なんですね。ですから、**枚数は2枚まで。**それと見開き2枚の場合は、紙が2枚になるので、必ず**ナンバリング**をします。見開き1枚の場合ノートの左下に1、右下に2とページナンバーを記しましょう。渡された人がファイリングするときにわかりやすいためです。

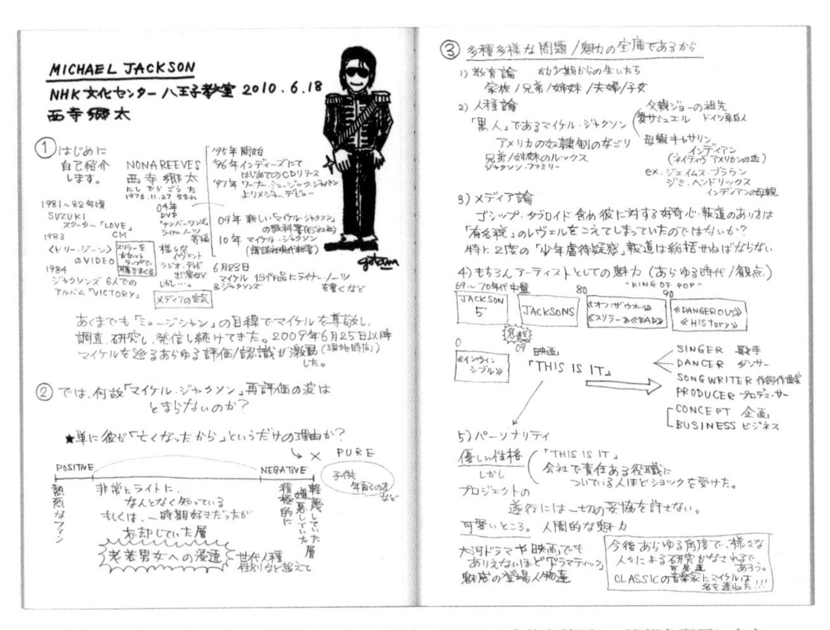


NHK文化センターのカルチャー講座のレジュメです。見開きで全体を俯瞰し、情報を配置します。

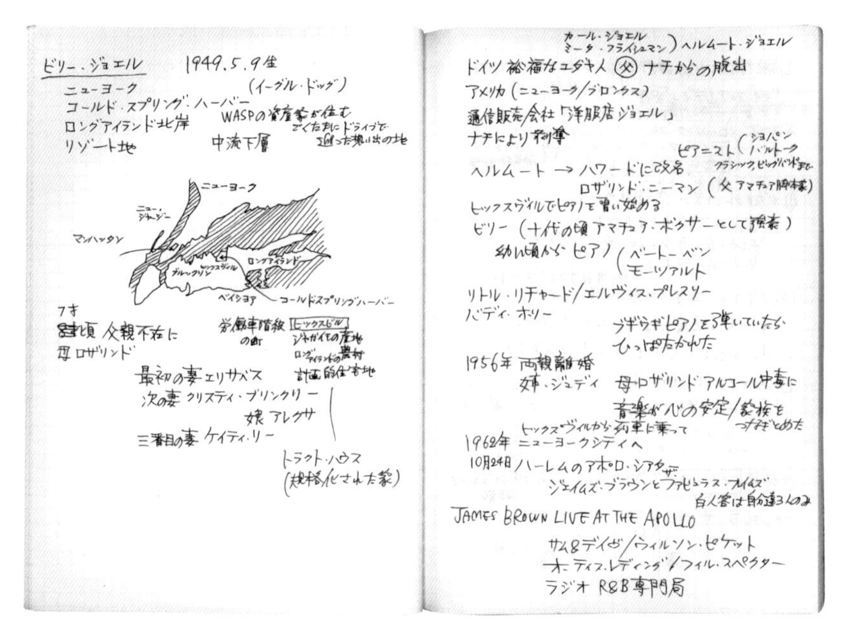


ロングアイランド出身のビリー・ジョエルとニュージャージー出身のブルース・スプリングスティーンは、共に1949年生まれ。地図を見るとわかるように、同じように川や海を挟んでマンハッタン島のきらめく摩天楼を見つめる少年時代をすごしていました。

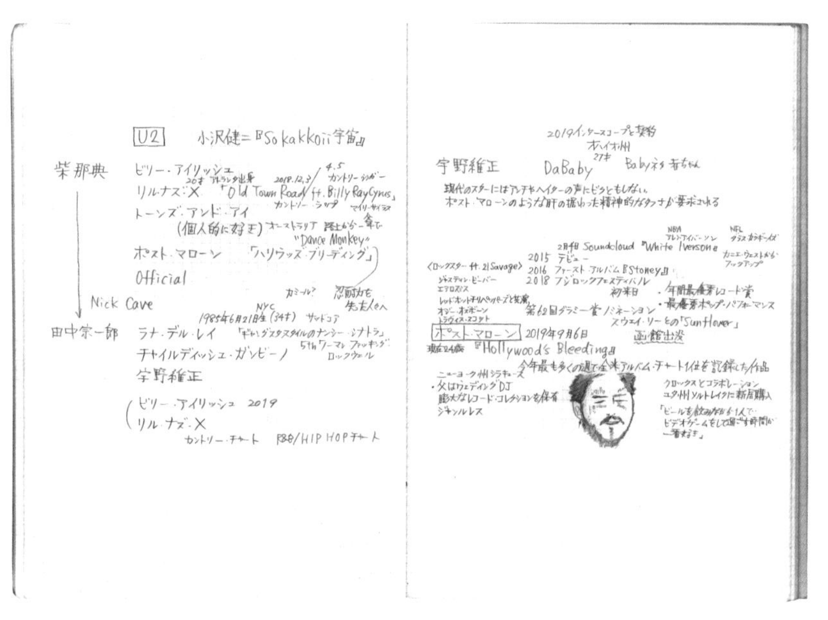


これは2019年12月に田中宗一郎、宇野維正、柴那典の3氏をゲストに迎えたイベント「ぷらすと×アクトビラ」のノート。僕はMCを担当しました。これは自分用のレジュメ。

## COLUMN 1 日常生活でも使えるノートメソッド

どんな人も、作戦を練らないといけないときがあると思います。

たとえばですが、思わぬトラブルに巻き込まれたけど「私のほうが絶対に正しい」というとき。まわりに正確な事実を伝えなければならなくなったときも、このノートメソッドは役立ちます。

話し合う前に、事前にノートを作ると作らないとでは、全然結果が変わります。一度まとめた資料が手元にあるだけで、自分の中で話が整理できます。

この人の言っていることのほうが事実が多い、時間軸が正確、データが豊富といった材料で、多くの人はどちらが正しいかを判断します。間違っていない基本的な事実を並べるだけでも、自分の意見は自然と通りやすくなります。

この本に載っている、大学での授業やラジオ番組でのプレゼンというようなシチュエーションは、一般の方にはあまりないかもしれません。でも世の中には、学校やPTA、近所づきあい、親子関係、不動産屋さんとのやりとりなど、様々なところでトラブルが起こることがあり、そんな日常生活の中でも、このノート術とその思考プロセスが幅広く使えるという具体例を挙げてみました。

つまり「伝えるノート」作りは、授業や勉強のためだけでなく、様々な場面で役に立つんです。

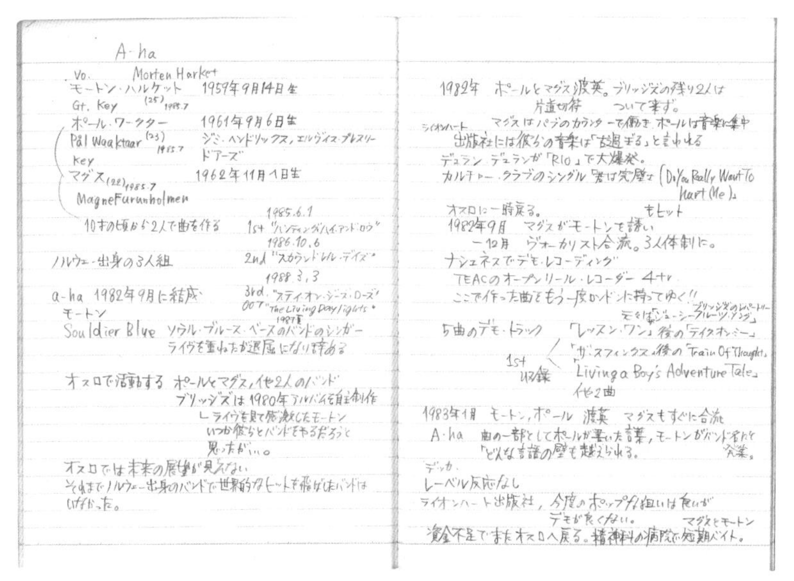


このように簡単にまとめるだけでもOK。人間関係のトラブルなどにも、このノート作りが役に立ちます。相手に見せる必要はありません(笑)。

# PART 2 ノートを書く
## ――タイトル決め・準備・もくじ作り

## 1 | タイトルは自分で決める

さて、いよいよ書く工程に入っていきます。手元にノートは用意してありますか？

まず大切なのは「何を書くか」。タイトル決め。

たとえば僕の場合で言えば「マイケル・ジャクソンの裁判について教えてほしい」「プリンスのアルバムが再発されるので『1999』について何かお話を」といったテーマが依頼者から指定されることが多いです。みなさんの場合も「仕事で上司に頼まれて」「学校でこの課題について発表しないといけない」など、いろいろなケースがあるはず。

ただ、お題が与えられたものであっても、最終的なタイトルは自分で決めたほうがいいでしょう（許されるのならば）。僕はラジオに出演するときも何らかの講

2019.9.16(月)　アフター6ジャンクション
西寺郷太の洋楽スーパースター列伝 番外編
80s リズム関ヶ原
「ワム！とジョージ・マイケルの場合」

♪1/エッジ・オブ・ヘヴン　(1982年6月16日 デビューシングル
1986年6月18日 発売 22枚目　「ワム・ラップ！」18枚目)
1963年6月25日生
1986年6月28日(土) ロンドン・ウェンブリー・スタジアム
100万人の応募者、7万2000人チケット獲得
これこそ、ワム！というべき
最後のオリジナル楽曲でのシングル
生演奏の醍醐味 / 英国シングル・チャート4枚目のナンバー・ワン　US10位
Drums: Charlie Morgan　Bass: Deon Estus
Guitar: David Austin, Hugh Burns　Perc: Danny Cummings
Piano: Elton John (最後のライヴにも参加)
Trombone: Rick Taylor
Trumpet: Paul Spong, Simon Gardner
Sax: Andy Hamilton

1985年 ニューヨーク ハーレムのアポロシアターで
スモーキー・ロビンソンと「ケアレス・ウィスパー」をデュエット

解散後 アルコールとドラッグに溺れる絶望の日々
1987年2月 再始動のタイミングで「ソウルの女王」との共演 デトロイトへ　愛のおとずれ
♪2/アレサ・フランクリンとのデュエット「I Knew You Were Waiting (For Me)」
Produced by ナラダ・マイケル・ウォルデン

1986年2月「ヴァラエティ」「ハリウッド・リポーター」紙
「ワム！サン・シティに身売り」
サン・シティ(アパルトヘイトへの抵抗) 批判の最中
ジョージ激怒
マネージメント会社ノーミス
南アフリカのホテル不動産グループ
「サン・インターナショナル」
創業者ソル・カーズナーに間接的に売り渡された
ワム！マネージャー
ザ・ヤードバーズ、マーク・ボラン、ジャパンなど数々のアーティストを
スターダムに乗せたサイモン・ネピア・ベル。
1985年春「ワム！中国公演」
ペプシ・コーラとの大型CMオファー
ジョージが断る、サイモンは黙り
高値のまま売りつけた
10日後、2月21日、ジョージはノーミスとの関係を解消したと声明

1986年4月26日 ソビエト連邦 チェルノブイリ原子力発電所4号炉
原子力事故
BBCラジオ国営第一放送 DJ(ディスクジョッキー)が事故を
伝えた直後 ワム！の「アイム・ユア・マン」を選曲
奮起した激怒したインディ・ギター・バンド ザ・スミス <PANIC>
マンチェスター出身 「HANG THE DJ」
DJを吊るし首にせよ！
イギリスの音楽評論家、音楽誌はワム！に冷淡だった
NMEなど
1987年4月18日付 全米ナンバーワン ヒット
ジョージにとってワム！時代から4曲目
→ アレサにとって、1967年の「リスペクト」以来 20年ぶりの
全米首位獲得曲

TBSラジオ『アフター6ジャンクション』出演の際のノート。自分で決めたタイトルは大きく書きます。

座で話す場合も、ネーミングの9割は自分で決めています。

もちろん、細かいタイトルまで依頼者やクライアントに付けられている場合は、そのタイトルでまとめることを相手に求められているわけですから、お題にポイントを絞って進めてください。

このあと、ノートを書くための調べものに入り、実際に作業を進めていくうちに詰まってしまったり、「そもそもこれ、なんだったっけ?」と本来の目的を見失うとき、タイトルが拠り所になります。「どうもまとまりが悪いなぁ」と悩んだり「何が言いたいのかぼやっとしてる」と自分で感じたときには、**タイトルの中にブレイクスルーのヒントが隠れていることが多いんです。**

**より良いタイトルを探すことが本質に近づける最善の方法**だと僕は思っています。

アフター6ジャンクション
西寺郷太
『洋楽スーパースター列伝』
2019.10.14(月)
1. 1968年のビートルズ
2. 1980年の「ビートルズ」
ポール逮捕と
ジョンの死
1969年のビートルズ
またビートルズ特集に戻ってきた理由
① 映画『イエスタデイ』公開記念 (コメディ)
もし、ザ・ビートルズがこの世界に存在しなかったとしたら?彼らの曲を誰も知らなかったら?
ダニー・ボイル監督/ 脚本:リチャード・カーティス
『トレインスポッティング』
『スラムドッグ$ミリオネア』
主演:ヒメーシュ・パテル
ビートルズが「音楽性」のみならず、
4人の若者がグループを「対等」(年令差はあったが)の力関係で組み、曲を書き、アレンジして、レコーディングもして。
(彼らが初めてではない部分もあるが)
レコード会社に莫大な収益をもたらしたことで「上下」の構造を変えた。同世代・後進に多大な影響。
インタビューで記者をウィットで馬鹿にしてみたり。
単純にファッションやルックスがクールだったり。
今回の映画は、その辺は「抜き」で、あくまでも彼らが残した「楽曲」が、いかに名曲か、という視点のみ。
あと極めて2010年代末的。すべてがグーグルで検索
中古レコード・ショップに行くとか?なし
② 「アビイ・ロード」<50周年記念 スーパー・デラックス・エディション>
1969年9月末リリース。秋、日本へ。ちょうど半世紀。
ザ・ビートルズの実質的ラスト・アルバム(最後にレコーディングした)
ウッドストック・コンサート(8月15日-17日)
アポロ11号 人類初月面着陸 7/24
船長
ニール・A・アームストロング
世界人口20%
人類が初月面歩行する瞬間を見ていた。

デヴィッド・ボウイ 1969年7月11日「Space Oddity」発表
スタンリー・キューブリック 1968年4月6日『2001年宇宙の旅』
前回(一年前のあらすじ)
1968年 前半インドへ瞑想の旅/アップル・コープス社設立
マハリシ・マヘシ・ヨギと絶縁
ジョン・レノンとヨーコ・オノ親密化
9月「ヘイ・ジュード」「メロディ・メイカー」紙チャート首位
「ビルボード」シングル・チャート首位
11月22日 インドで作ってきた楽曲を中心に、2枚組アルバム『ザ・ビートルズ(ホワイト・アルバム)』発売

1969年
事実上ビートルズがグループとして活動した最後の年
1月2日 4人が久々に集合、『レット・イット・ビー』のレコーディング開始。
映画撮影も同時進行(ドキュメント・フィルム)
トゥイッケナム・フィルム・スタジオ
エンジニア
グリン・ジョンズ
10日 ジョージ、ジョンと大げんか(ポールと説も)
30日 アップル屋上で、バンドとして一般聴衆の前で最後の演奏。「ルーフ・トップ・コンサート」42分間。
サヴィル・ロウのビル街。映画『レット・イット・ビー』ラスト・シーンの撮影(半分が使われる)。
1月末
『GET BACK』
セッション
下積み、ハンブルグ時代から旧知のキーボーディスト
ビリー・プレストンがセッションに参加
1/22偶然アップル・ロビーにいたところジョージ・ハリスンに見つかり参加を頼まれる。張り詰めた空気を中和
結局、ドキュメント・フィルム作りは、うやむやのままに。
3月 (結婚) ポールとリンダ、ロンドンで
ジョンとヨーコ、ジブラルタルで
3月、グリン・ジョンズに大量のテープがゆだねられる。なんとか、アルバムにしてほしい、と。ジョンとポールから依頼。
♪ 1月28日 サヴィル・ロウでREC
4月11日「GET BACK」/「ドント・レット・ミー・ダウン」発売

僕の視点ということで、「1969年のビートルズ」に焦点を当てた『アフター6ジャンクション』の企画。

# 2 | タイトルはノートの左上に日付、時間、場所とともに記す

タイトルは、見開きにしたノートの一番左上に書きましょう。アンダーラインを引いて強調するのもいいですね。日付、時間、場所も忘れずに記しておきましょう。

「紀伊國屋書店新宿本店　2019年8月6日(火曜)19時～」というようにですね。

ノートを書いた瞬間の場所や日時がいいのか、その内容を発表する場所や日時を書いたほうがいいのかケースバイケース。「学ぶノート」「生み出すノート」はノートを書いた日でいいでしょう。「伝わるノート」のように誰かに資料として配付する場合は、その配付する日と場所がいいですね。そうすればもらった人があとから見返したときに思い出しやすいですから。

僕は2000年代まではあまり日付や場所を書き込みませんでしたが、今になって「これ、なんだったっけ？　どこで話したんだっけ？」とわからなくなって困ることもあります。データの記録は、自分のためにも大切。

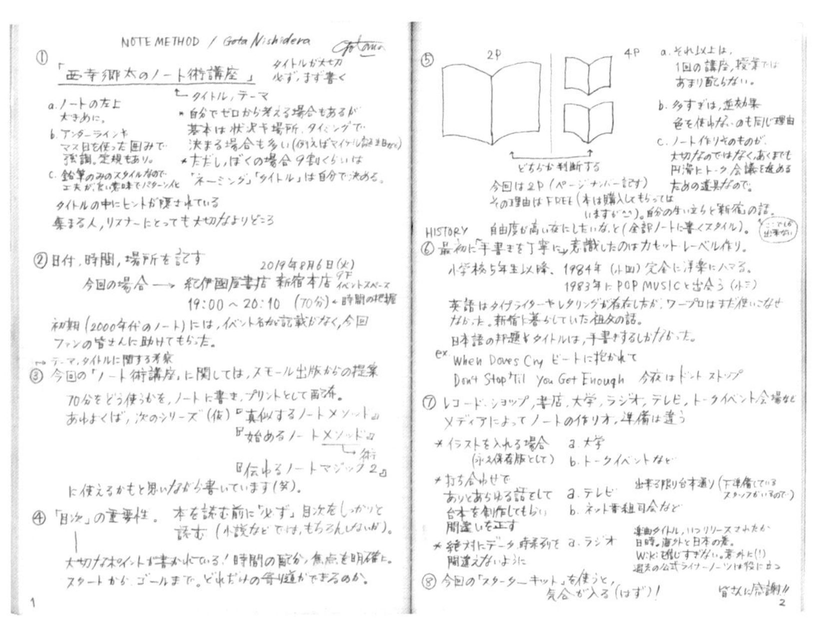

NOTE METHOD / Gota Nishidera

① 「西寺郷太のノート術講座」　タイトルが大切 必ず、まず書く
↑タイトル、テーマ
a. ノートの左上 大きめに。
b. アンダーライン
マス目を使った囲みで強調。定規もあり。
c. 鉛筆のみのスタイルなので工夫が、良い意味でパターン化
* 自分でゼロから考える場合もあるが基本は状況や場所、タイミングで決まる場合も多い(例えばマイケル誕生日など)
* ただし、ぼくの場合9割くらいは「ネーミング」「タイトル」は自分で決める。
タイトルの中にヒントが隠されている
集まる人、リスナーにとっても大切なよりどころ

② 日付、時間、場所を記す
今回の場合 → 紀伊國屋書店 新宿本店 9F イベントスペース　2019年8月6日(火)
19:00～20:10 (70分) ← 時間の把握
初期(2000年代のノート)には、イベント名など記載がなく、今回ファンの皆さんに助けてもらった。

→ テーマ、タイトルに関する考察
③ 今回の「ノート術講座」に関しては、スモール出版からの提案
70分をどう使うかを、ノートに書き、プリントとして配布。
あわよくば、次のシリーズ(仮)『真似するノートメソッド』
『始めるノートメソッド』→術
『伝わるノートマジック2』
に使えるかもと思いながら書いています(笑)。

④ 「目次」の重要性。本を読む前に「必ず」目次をしっかりと読む(小説などでは、もちろんしないが)。
大切なポイントが書かれている！ 時間の配分、焦点を明確に。
スタートから、ゴールまで。どれだけの寄り道ができるのか。

1

⑤ 2P　4P
どちらか判断する
今回は2P (ページナンバー記す)
その理由はFREE (本は購入してもらってはいますが^^)。自分の生い立ちと新宿の話。
自由度が高い夜にしたいな、と(全部ノートに書くスタイル)。ここでしか出来ない
a. それ以上は、1回の講座、授業ではあまり配らない。
b. 多すぎは、逆効果
色を使わないのも同じ理由
c. ノート作りそのものが、大切なのではなく、あくまでも円滑にトーク、会議を進めるための道具なので。

HISTORY
⑥ 最初に「手書きを丁寧に」意識したのはカセット レーベル作り。
小学校5年生以降、1984年(小四)完全に洋楽にハマる。
1983年にPOP MUSICと出会う(小三)
英語はタイプライターやレタリングが存在したが、ワープロはまだ使いこなせなかった。新宿に暮らしていた祖父の話。
日本語の邦題やタイトルは、手書きするしかなかった。
ex. When Doves Cry ビートに抱かれて
Don't Stop 'Til You Get Enough 今夜はドント・ストップ

⑦ レコード・ショップ、書店、大学、ラジオ、テレビ、トークイベント会場など
メディアによってノートの作り方、準備は違う
* イラストを入れる場合(永久保存版として)　a. 大学　b. トークイベントなど
* 打ち合わせでありとあらゆる話をして台本を制作してもらい間違いを正す　a. テレビ　出来る限り台本通り(下準備しているスタッフがいるので)　b. ネット番組司会など
* 絶対にデータ、時系列を間違えないように　a. ラジオ　楽曲タイトル、いつリリースされたか日時。海外と日本の差。Wikiを信じすぎない。意外に(!) 過去の公式ライナーノーツは役に立つ
⑧ 今回の「スターターキット」を使うと、気合が入る(はず)！
皆さんに感謝!!

2

『伝わるノートマジック』の刊行イベントで配布しました。ノート術についてまとめています。

## 3 |「事実」を正確に

ノートに記す情報は、何度も言いますが**正確さが大切。**

インターネット上に溢れるニュースは間違っていたり、出所がわからないことも多いですから、なるべく公式の情報を参照しましょう。アーティストやアイドルのオフィシャルサイト、国や地方自治体などが発表するデータ、書籍化された資料がここで言う「公式」の情報です。

これらは関係者が複数人でチェックして書いていますから、素人ひとりが記憶に基づいてネットに書き込んだものよりは、ずっと信頼できます。

ウィキペディアは便利なので入り口として参考程度にするくらいならいいですが、信じすぎないでください。例を挙げると、ウィキペディアで僕は「TOTOの大ファン」ということになっています（笑）。ある意味好きは好きですけど「いや……もっと好きなバンドいっぱいあるけどなぁ」と思っていたりします。

また、探せるようなら書籍に当たるべきです。書籍は制作過程で校閲が入りますので、明らかな間違いはチェックされますので。**確かなソースに当たる、多面的に検証する、重要な出来事の日時は正確に。これが基本。**

このノートの作成時、たくさんの資料を当たった結果、誰も気づかなかった事実が発見できました。

# 4 |「違い」を考える

例えばあるアーティストのキャリアについて誰かに伝えるとき——実は作詞・作曲家や小説家として新しい「作品」を作り出したり、プロデュースを頼まれた時も同じことが言えるのですが——それまでの歴史をできるかぎり振り返って、**今から伝えるものごとや作り出すものの特別性や他との差異、「違い」について考えることが何よりも大切です。**

僕がメディアで伝えるようなアーティストの場合、良くも悪くも何かそれまでの音楽の歴史と「違う」からこそ、注目を集めたわけです。ただし「特別」であったり、「革命的でみんなが憧れたり、夢中になったり、影響を受けたり」すればするほど、その後の歴史では「当たり前」のこととなってしまい、流されてしまいがち。それこそが危険な罠ともいえます。

たとえば僕はライムスターの宇多丸さんがパーソナリティを務めるラジオ番組、TBSラジオ『アフター6ジャンクション』にマンスリーで出演し、様々なアーティストを約50分間で紹介しているのですが、ビートルズを取り上げる際「ロック・アルバムの金字塔『アビイ・ロード』が」、などといきなり語らないように心がけてい

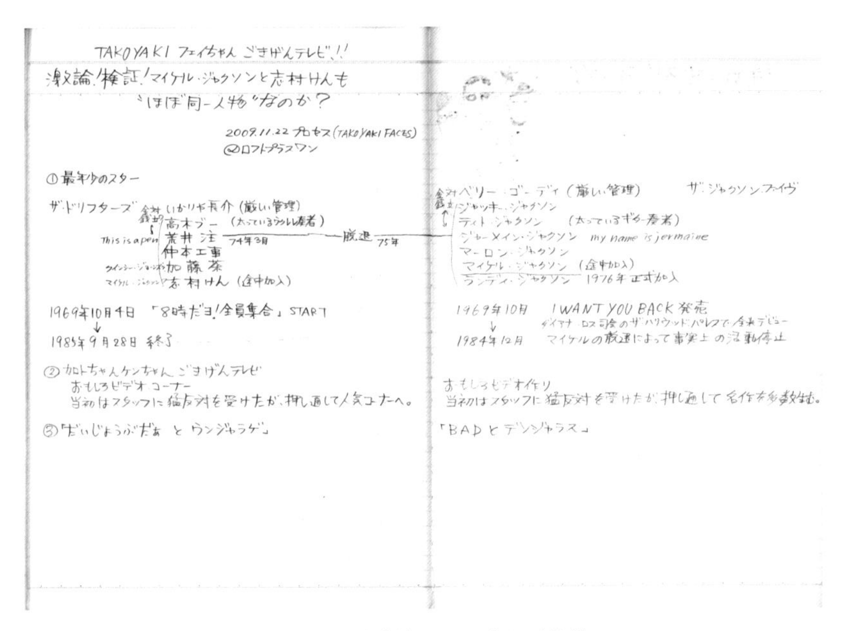


独自の視点で捉えた例。マイケルジャクソンと志村けん、ほぼ同一人物説。

ます。そもそも「シングル」とそのほかの寄せ集めだった30分から40数分の「アルバム」というフォーマットを、「芸術作品」の領域まで押し上げた代表こそがビートルズ。彼らに触発される形で「アルバム文化」が発展していったということから説明しなければいけません。

マイケル・ジャクソンの場合も映像をラジオのように流し続ける新たなメディア「MTV」で、黒人アーティストのビデオは数％しか流されなかった1983年初頭に、それそのものが「短いミュージカル映画」のように見える「今夜はビート・イット」「ビリー・ジーン」作品を創造する革命を起こしたアーティストとして紹介せねばなりません。レコード会社が「マイケルの作品を放送しないなら、ブルース・スプリングスティーンやビリー・ジョエルのビデオも渡さない」と圧力をかけ、人種差別的な壁が壊れ、いざオンエアされると『ギネス世界記録』の記録を塗り替えるほどの大人気に。その後、様々なアーティストが後に続いた状況はご存知の通り。ルールを変えた革命的な存在が、いざ成功すると「普通」と捉えられる。

人間って本当に変わってしまう「前」の状況を忘れてしまうものなんです。例えば携帯電話やスマートフォンがなかった時代、グーグル検索がなかった時代、今の「常識」とその頃の「常識」は違います。それまでとの「差異」をどこまで見つめられ、噛み砕けるかが、僕は「ものごとを人にわかりやすく伝えられるか」のポイントだと考えています。

アイドルやアーティストのプロデュースを頼まれたときも「このグループ、この人は他と何が違うのか、どこが武器なのか、そして今まで開けられていない扉はどこなのか」について徹底的に考察するようにしています。

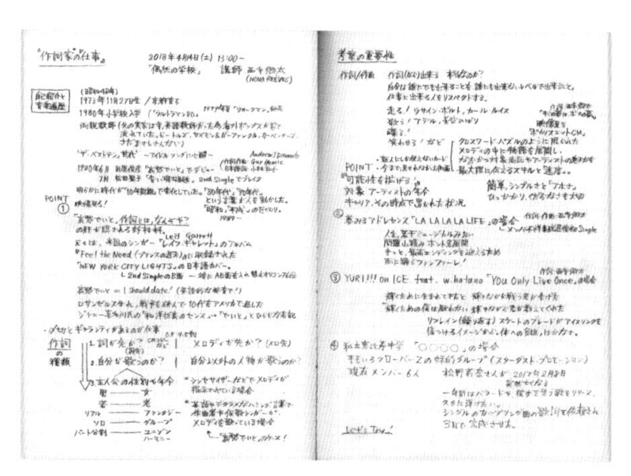


「偶然の学校」という講座で配ったレジュメ。自分なりの「作詞家の技術」についてまとめています。

# 5 ｜ もくじ（見出し）を付ける

タイトルを付け、調べものをしてだいたいの情報を頭に入れて全体像をつかんだら、次に**もくじを作りましょう。**本の場合は「もくじ」と言いますが、記事の場合は「見出し」と呼ぶことが多いですね。

僕は本を手に取った場合、もくじを必ず熟読しポイントを探るようにしています。

もちろん、小説の場合は違います。もくじで「マイクとの別れ」「ジェニファーの死」などと書いてあったら「マイクと別れるんかい！」「ジェニファー死ぬんかい！」と思いますけど（笑）。ですから小説は別として、たとえばノンフィクションやハウツー本を読むときは、もくじを最初にきちんとチェックする。逆に言うと、自分がノートを書くときは、**もくじ（見出し）は相手にメッセージを伝える手段であることを意識して作りましょう。**

もくじはノートを元にトークをする場合も役に立ちます。あなたに60分のプレゼンの時間が与えられ、資料として見開き1枚のレジュメ（ノート）を用意しているときには、30分で左ページが終わるように**時間配分を考えます。**そうすると聞いている側も「今、だいたいこのくらいの話だな」とスタートからゴールまでの流

2019/9/19（木）
西寺郷太 × 水道橋博士
「ノートという脳内、見開き1ページに見るクリエイティビティの秘訣」
『伝わるノートマジック』刊行記念

今回の『伝マジ』は、ある意味「絵」や「写真」のように完成したノートを集めている。

① 高校時代の世界史ノート
（授業を受ける「生徒」のノート）
見本がある、講義がある

② 学ぶ、深める、体に染み込ませるための「サッカー」や「三國志」などのノート
自分でレイアウト、大切な場面をチョイスする。

③ 誰かに説明、プレゼン、理解してもらうためにつくるレジュメ的ノート。
TBSラジオ「アフター6ジャンクション」
早稲田大学での講義など
見せたい

レジュメ的③のノートを作る場合のプロセス、思考

Ⓐ まず全体像を掴む

Ⓑ 話す時間、場所、対象、状況などにより深さ、長さ、何度も繰り返せるのか？一度きりか、など判断

Ⓒ 全体をいくつかのパートに分割

Ⓓ 目次のように「タイトル」をつける

Ⓔ 大切な部分と余分だけど面白い、ジューシーな部分を把握

Ⓕ 見開き1ページ、2ページなどにまとめてゆく

Ⓖ トークも基本、ページに沿って最終到達点を考えつつ進む

水道橋博士とのトークショーで配ったレジュメ。全体の大まかなもくじだけで構成した例です。

れを理解でき、もくじに沿って話の焦点を明確に意識しながら聞くことができます。

僕みたいなおしゃべり好きにとっては、トークをしながらどれだけ寄り道できるのかの目安にもなります。本題に入る前のマクラで10分くらい使っても「あと20分で半分までいけばいいな」ともくじを見ながら考えていけるわけです。

もくじ（見出し）を見開きに収まるように配置できたら、あとはその間を埋めて書いていくだけ。

……と言われても本当にできるのか？　と思う方もいるでしょうから、ひとつ演習をやりながらコツを自分の身体に定着させてみましょう。

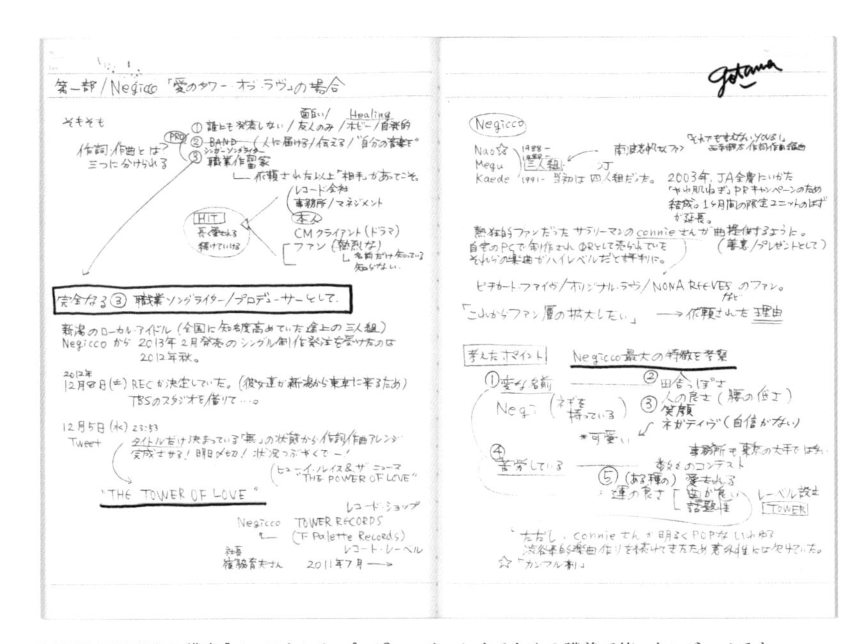

SONY MUSICの講座「ソニアカ」で、プロデューサーになるための講義で使ったレジュメです。

## COLUMN 2 もくじ(見出し)作りの応用術

僕は2019年4月から2020年3月まで、『ディスカバー・マイケル』というNHK-FM のラジオ番組のMCを担当していました。これは1年間、毎週1時間ずつ全50回(56時間)にわたり、あたかも大河ドラマのようにマイケル・ジャクソンと彼にまつわる音楽を追究する番組でした。

そしてこの番組の1年間通じての構成も、ノートメソッドのひとつ「もくじ(見出し)を付ける」を使用しています。

僕は番組が始まる段階で、まず1年間の流れを決めました。12カ月をトータルで考えて、1冊の本のもくじのように分割して捉えていったんです。

はじめの4月はマイケル・ジャクソンを知らない人もいると思うので、彼の生涯をダイジェストで紹介する月に。そして5月はジャクソン5、6月はジャクソン5時代のマイケル・ソロ作品、7月はジャクソンズ。そして8月は夏休みなので、クイーンやマドンナなど同時代のライバルや先輩たちとの関係を話しました。9月は『オフ・ザ・ウォール』、10月は『スリラー』、11月は『BAD』……というようにです。

また自分のルールとしては、余程の事情がない限り同じ曲を2回以上かけないということも決めていたので、オンエアする曲も年間を通じてあらかじめ考えて挑みました。

もくじを作る作業は、大事なこと、伝えたいことを細かく輪切りにし、そこに可能な限り膨らみを持たせていくこと、そして全体像を把握すること。これは30分のプレゼンでも、90分の講座でも、1年間のラジオ番組でもすべて同じ。「頭の使い方」をトレーニングしていればこそ、簡単に応用できるのです。

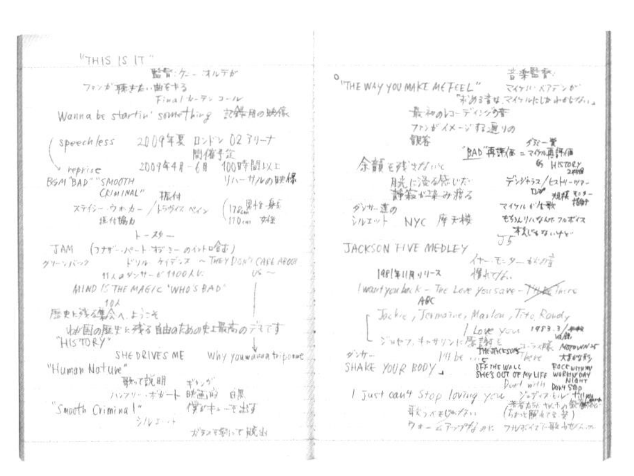


『ディスカバー・マイケル』で作った唯一のレジュメの「THIS IS IT」。マイケルの基本情報は、すでに僕の体の中に入っていますので。

# PART 3 演習
## ――見開き１枚でまとめてみる

## 1 ｜「ジャーメイン・ジャクソンについて」見開き1枚でまとめてみる

具体例がないと難しいと思いますので、ここで読者のみなさんにも、実際にノートをまとめてみてもらいます。そのあとでポイントを解説していきましょう。

演習の内容は以下になります。

・テーマは「ジャーメイン・ジャクソンについて」
・枚数は2ページ（見開き1枚）
・何も知らない人向けに
・このノートを元に、10分間プレゼンするつもりで
・制限時間は60分

この条件で、情報をまとめてみてください。

「ジャーメイン・ジャクソンって誰？」という方をはじめ、「マイケル・ジャクソンのお兄さんですよね」という方から、「昨年来日公演、観に行きました」というファンの方まで、いろいろいると思いますが、ほとんどの人がさほど詳しくないミュージシャンであると思い、このテーマに決めました。

必ずしも自分が大好きで得意なことについてばかりノートをまとめるとは限りませんから、練習だと思ってやってみましょう。

『伝わるノートマジック』にはカーペンターズについてのノートを収録していますが、あれはリチャード・カーペンターさんが来日されるときに対談でお会いするための準備として、僕が3～4日で本を読んでまとめたものなんです。カーペンターズは曲が好きだったんですけれども、それまでベスト盤を中心に聴いていたせいで、オリジナルアルバムのリリース順などは詳しく知らなかったんで

すね。でもしっかり準備をしてジャケットの絵まで描いたノートを対談に持参したら、すごく喜んでくださいました。

というわけで、今日は試しに60分以内でジャーメイン・ジャクソンさんについて調べ、ノートにまとめてみましょう。

書籍に当たって確認するのは難しいと思いますので、今回はスマートフォンで検索した情報だけでかまいません。

なんでもそうですが、実際に自分でやってみないとコツはマスターできませんから、この機会に、なんとしてもがんばってみてくださいね。第2章で僕が伝えたポイントを参考にしてください。

出来上がったあとで、次のページを開きましょう。

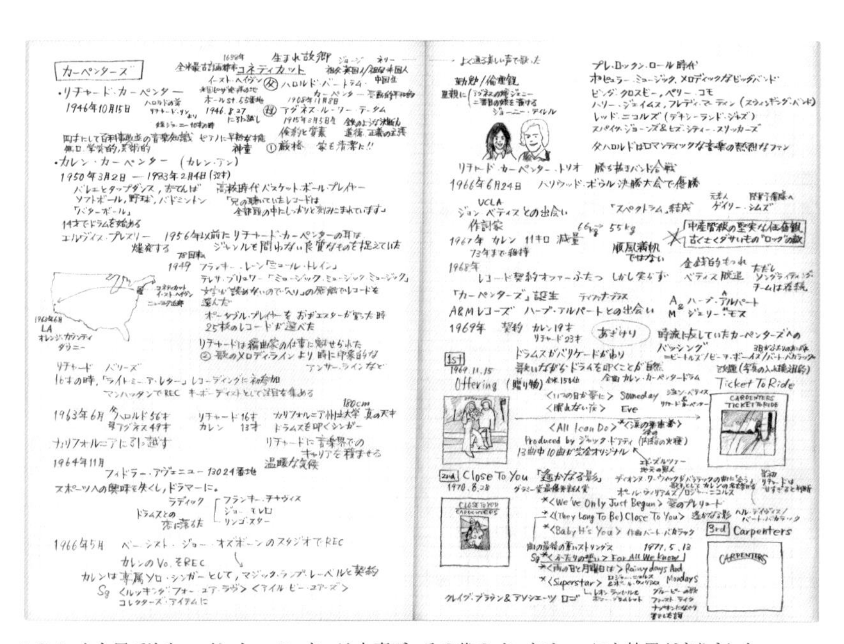

このノートを見てリチャード・カーペンターは大喜び。その後のインタビューにも効果がありました。

# PART 4 演習解説 ——ノートに書いてほしいこと

できましたか?

まずは以前開催した僕のノート術のワークショップで、みなさんと同じ条件でジャーメイン・ジャクソンをテーマに作成していただいた生徒の方々のノートを見てみましょう。次のページに載っています。

これらはこのワークショップの日に各々で最初に作ったジャーメイン・ジャクソンのノートを、復習の宿題として、もう一度西寺ノートメソッドに基づき書き直してもらったものです。僕の講義を聞いて実践したあとは、実際にノート作りがこのようになったという具体的な例になります。

この度、生徒さんより許諾をいただけて、本に掲載することができました。とても参考になると思いますので、ぜひご覧ください。

実は僕も、あまりのクオリティの高さに驚いたんです。みなさんそれぞれ個性的で、楽しいですよね。

《参考》 西寺郷太 手書きノートワークショップの 生徒さんのノート

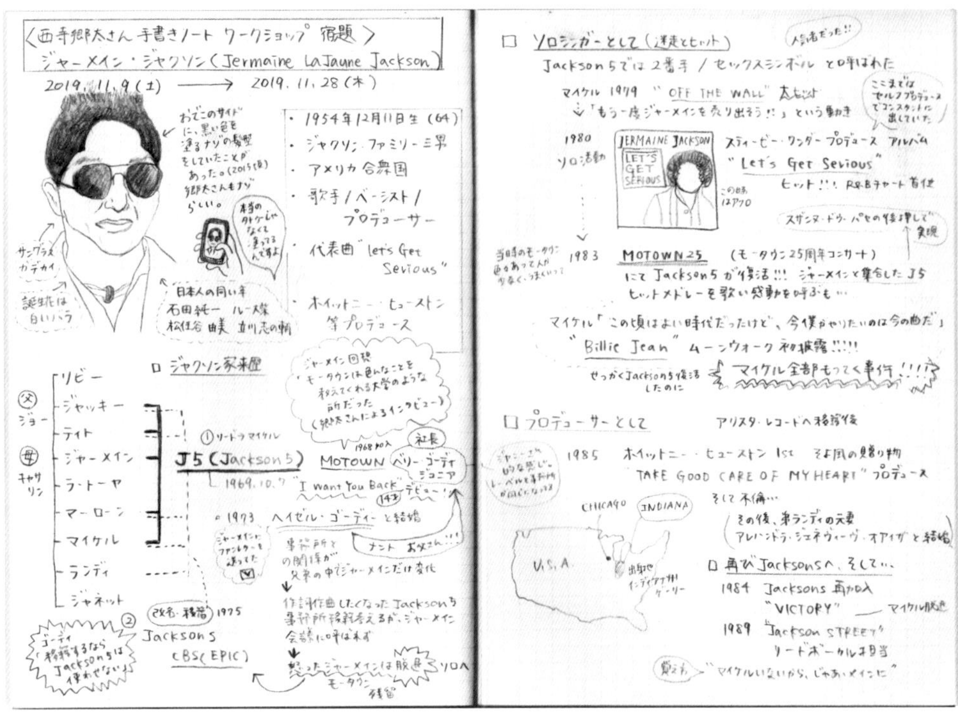


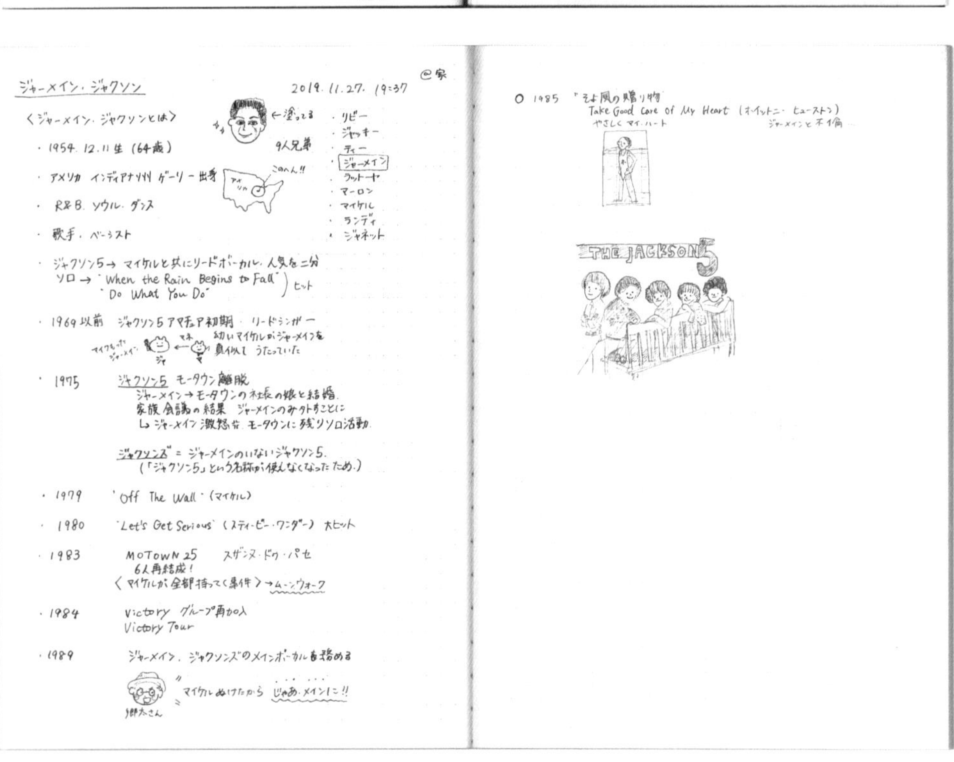

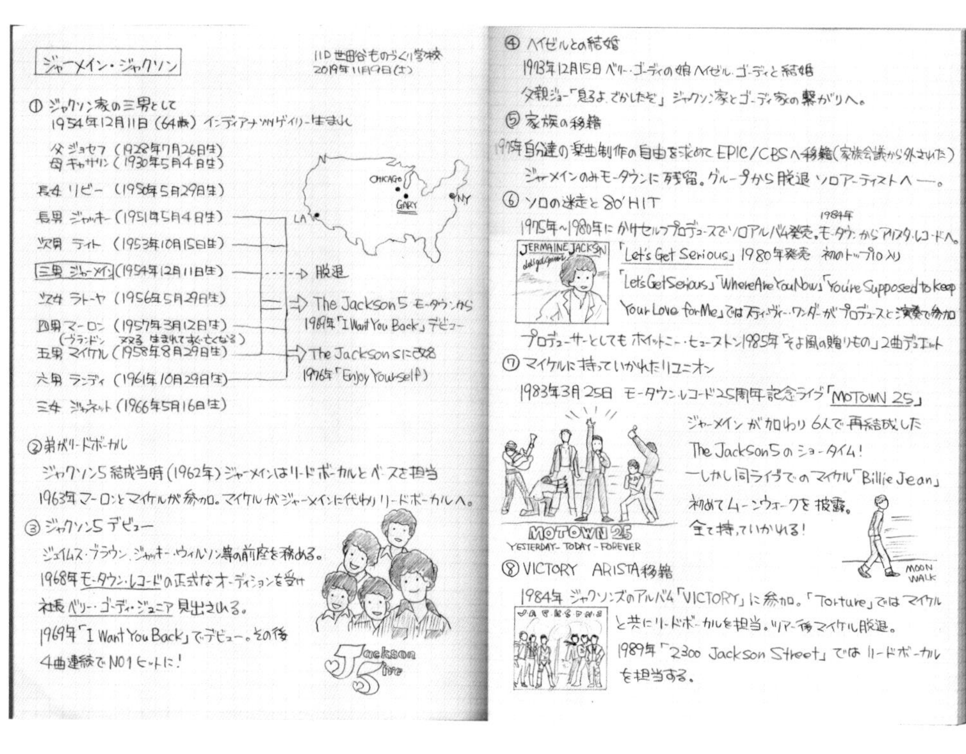


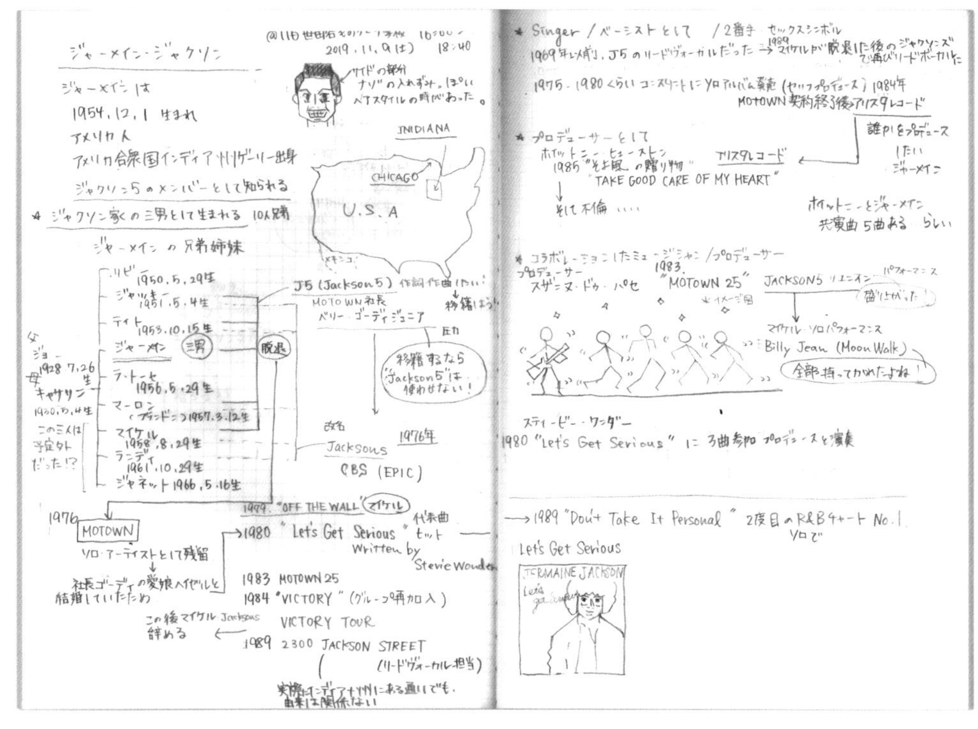


左上はどんぐりさん、左下はめぐみさん。右上はかりんさん、右下はまんなかさんのノートです。

## 1 | タイトルを書く

まずはツカミとして「この人はこんな人」「この話の結論に当たる部分」を最初にタイトルで示す必要があります。細かい情報はそのあとに書いていったほうがいいですね。いきなり「何年生まれで何人兄弟で」みたいな情報がずらずら並んでいても伝わりづらいので。

これはつまり、どんな切り口でまとめましたか？　の意。先ほどお伝えした「タイトルは自分で考えて、必ず書く」ということにも関わりますね。「マイケル・ジャクソンのお兄さんとしてのジャーメイン」にフォーカスしたものなのか「ボーカリストとしてのジャーメイン」を軸にしたのか、はたまた「ジャクソン一家のトラブルメーカーとしてのジャーメイン」についてゴシップ的に迫ったものなのか、これは人それぞれ違うと思います。

## 2 | 顔を描く

「顔を描くって、なんだそれ」と思う人も多いでしょうが、人間が記憶する際、文字だけよりも絵や図とセットのほうが残りやすいんですよね。今回は人物でしたから「顔のイラストを描いてみよう」と。プレゼンする対象物によって、関連する建物でもモノでもかまいません。

ジャーメイン・ジャクソンさんは、いっとき「スフィンクス」みたいな髪形をしていました（笑）。そしてあるときから、生え際になぜか墨を塗っています。おでこが四角いんです。誰もそんなことはしていませんので、理由はわかりません（笑）。2015年くらいには、特におでこが狭くなっていました。僕のようなファンですら「なんでこうしたんだろう？」と思うような髪形でした。こういう特徴があるとビジュアルとセットでジャーメインさんについての情報が聞き手の脳に刻まれるので、絵は大事です。

記憶やトークとっかかりとなるような、キー(象徴)になるイラスト、ビジュアルを数点入れておくといいと思います。

最初は下手でもかまいません。地図や絵は必ず上手くなりますし、味が出てきます。

あと単純に、絵が入ると愛着が湧きます。意外とこのことも大事。

今回は「何も知らない相手に伝えるため」のノートなので、顔を描いたほうがいい、ということ。必ず毎回入れなければならないわけではありません。

## 3 | 何年生まれで何歳なのか?

何年に生まれて何歳なのかということは、その人物を知るために大切なインフォメーション。人物以外の場合は何年にできたのか、何年前のことなのかといった情報を書きましょう。

必須ではないのですが「同じ年に誰が生まれたか」を書くのが僕は大好きです。ジャーメインは1954年生まれ、2020年現在で65歳。同学年には元プロ野球選手・中畑清さん、タレントのルー大柴さん、石田純一さん、元・日産社長のカルロス・ゴーンさんなどがいます。こうして並べてみるとバブリーな香りがしますよね(笑)。こういう関連情報が、人にものを伝えるときに大事だと僕は考えています。「1954年生まれです」と言われても、わかるようなわからないような感じですが「石田純一さんと同い年なんですよ」と伝えると「ああ、あの世代か」とイメージが湧きやすい。

あるいはその年にどんな事件があったか、でもいいですね。

西暦や年齢だけ書くと無味乾燥になりそうなときは、イメージしやすいように同世代、同時代にどんな人がいたか、出来事があったかということを少し補足するといいでしょう。

# 4 | 職業は何か？ キャリア、経歴は？ 代表作は？

ジャーメイン・ジャクソンの職業は、ミュージシャン。

ジャクソン5のメンバーとして、モータウンレコードから1969年、"I Want You Back"（邦題「帰ってほしいの」）でなんと14歳でデビューした歌手であり、シンガーソングライター。ジャクソン5ではベースとボーカルを担当していました。マイケルがメイン・ボーカルでジャーメインは2番手でしたが、ジャクソン5の「セックスシンボル」と言われ、アイドル的な人気ではマイケルを上回っていたとさえ言われています。……といった基本情報、大事なポイントをまずはしっかり押さえましょう。

ジャーメインのキャリアでいうとホイットニー・ヒューストンのファーストアルバム“Whitney Houston”（邦題：『そよ風の贈りもの』）に収録された“Take Good Care of My Heart”（邦題：「やさしくマイ・ハート」）など3曲をプロデュースしてタイムレスなヒットとしたことは書いたほうがいいですね。そして当時ふたりはプライベートで不倫していたわけですけど……まあ、その話は今は置いておきましょうか（笑）。

## 5 | 家系図や関係図、地図、フローチャートを書く

顔を描くのと同じで、図を作ってわかりやすく伝える手法も大切。

たとえば家系図。ジャーメインはマイケル・ジャクソン、ジャネット・ジャクソンのお兄さんで、9人兄弟の3男。正確に言うと10人兄弟なのですが、マーロンとブランドンという双子が生まれましたが、ブランドンは生後すぐに亡くなりました。こうして父・ジョーと母・キャサリンは「もう絶対に子どもは産まない」と一度は思ったそうですが、そのあと生まれたのがマイケル、ランディ、ジャネットという音楽の歴史を変えたすごい才能の持ち主3人でした。よかった(笑)。

あるいは他の図を使ってもいいでしょう。ジャーメインさんはいろいろ図にしやすい経歴の持ち主です。

ジャーメインやマイケルたちジャクソン5は、モータウンという名門レーベルにいました。モータウンは当時人気のあった黒人音楽を代表するレーベルで、社長はベリー・ゴーディ・ジュニア。ジャニーズ事務所を作ったジャニー喜多川さんのような存在と言えばいいでしょうか。モータウンはただのレコード会社というより、事務所も兼ねたファミリー企業。しかも「モータウン・レビュー」と言って所属アーティストだったマーヴィン・ゲイやスティーヴィー・ワンダー、テンプテーションズ、ダイアナ・ロスを擁するザ・スプリームスが一緒になって各地にショーをしに行くんです。ベリー・ゴーディの元で世界観を共有するアーティストの集まりだったんですね。ジャーメインは「モータウンは大学のようなものだった」と僕に直接語ってくれました。ですから、アーティストをモータウンでのデビュー年順に並べて先輩後輩関係の表を作ってジャクソン5を位置づけてもいいですね。

あるいは、ジャーメインたちは、ニューヨークとロサンゼルスと共に全米を代表する都市シカゴ、日本で言う名古屋みたいな(笑)、そのすぐ隣にあるインディアナ州ゲイリーという工業地帯で生まれました。だから全米の地図を描いて「インディアナ出身で、モータウンでデビューするためにカリフォルニアに引っ越しました」と解説してもいいですね。

プライベートに視点を向けると、社長ベリー・ゴーディ・ジュニアの愛娘ヘイゼルがジャーメインのことを好きになり、ふたりは結婚しています。ところがジャクソン家とモータウンはその後、険悪なムードに。ジャクソン5がどれだけ楽曲をヒットさせても儲かるのは作詞作曲家やレーベルだけで、マイケルたちがいくら曲を作ってもベリー・ゴーディ・ジュニアは認めず、リリースを拒んだからです。父ジョーと兄弟たちは自由な創作活動を許してくれるレーベルへの移籍を主張しますが、社長の娘と結婚しているジャーメインは当然困惑。そしてCBSエピックから移籍の話が持ち込まれ、ジャクソン一家で家族会議をする際、ジャーメインだけは外されてしまいました。その後、移籍話が正式に決まると、ジャーメインは激怒。彼はモータウンに残留しジャクソン5から脱退、ソロシンガーに専念する道を選びます。一方、マイケルたちはジャクソンズと名前を変えて活動することに。ところが1984年にジャーメインはジャクソンズに再合流、その後マイケルが脱退……と、このあたりの人物相関図、メンバーの変遷の図を作ってもいいですね。

このような家系図やフローチャートは上から下に向けて縦に書いていくものというイメージがあるかもしれませんが、僕のノート術講座の受講生の中には左から右に向かって時間が流れていく横の図を作っている人もいました。ノートを横書きで使っていく場合には、縦に図を入れるよりも左ページから始めて右に行くにつれジャクソン5→脱退（ソロに専念）→（ソロ活動と並行して）ジャクソンズ復帰と移り変わっていくと確かに視覚的にわかりやすいかもしれないですね。

図を作るときには「上から下へ」「左から右へ」など、自分なりのルールを作って手癖にしておくと、頭に入ってきやすくなります。

## 6 | 見開きにもくじ、見出しを配置したあとで、間を埋めていく

もくじ、見出しを付けるのが大事ですよとお話ししましたので、みなさんも実践されているかと思います。

まずひとつの題材に対してタイトルを考えて調べものをし、きちんと細かい日付まで押さえて準備をしたら、ざっくり頭に入れて流れを整理します。そのあとで「この人の人生を書くならポイントはこうかな」ということで、時系列順なりに間をあけて見出しを並べていきます。

1から順番に細かいところまで書いて2、3と続けていくのではなく、まず見出しだけを見開きに配置して、全体の流れを確認しましょう。

慣れるまではまず見出しだけを余白を取りながら書いて、全体の配分を考えるといいと思います。

たとえば僕なら、見開きでこういうもくじ（見出し）にします。

1. 9人（10人）兄弟の3男として誕生
2. 弟がマイケル・ジャクソン。リード・ボーカルを奪われる
3. ジャクソン5、デビュー。大ヒット
4. モータウン社長の愛娘・ヘイゼルと結婚
5. 家族のレコード会社の移籍（ただしジャーメインを除く）
6. ソロの迷走と80年のヒット（レッツ・ゲット・シリアス）
7. マイケルに持っていかれたリユニオン（モータウン25）
8. Victoryツアー参加とアリスタ移籍
9. ジャクソンズのリード・ボーカルに（マイケル脱退したから「じゃあ、メインに」）
10. 離婚、ランディの元奥さんとのややこしい再婚
11. 2019年の東京公演

もくじ（見出し）は端的にそのことを伝える内容でもいいですし、パッと見たときのインパクトや思い出しやすさを重視するなら（7）のところを「マイケルが全部持ってく事件」なんて書くのもいいでしょう。

1983年に開催された「モータウン25」。モータウン設立25周年を記念してダイアナ・ロス、ライオネル・リッチーなど、そうそうたるメンツが勢揃いした同窓会的なライブでジャーメインが再加入したジャクソン5（ジャクソン6）が再結成したんですね。ただし、世間的にはマイケルがソロパフォーマンスで見せた「ビリー・ジーン」のムーンウォークのほうが大注目。「おいしいところ全部持ってかれた」という出来事になったんですね。

引っかかりのある見出しにしておけば、最初に見たときも思い出すときも「なんだったっけな、それ」というフックになります。

もし短時間で準備しなければいけない場合は、見出しだけでも書いておくのは手です。見出しで「1. ここでこんなことが起こる」「2. さらにこんなことも起きる」「3. 結果、こうなる」と大きな流れをノートに書いておく。そうすると、1と2、2と3の間のつながりを思い出しながら埋めていけば話せます。

見開きでの配分が全然見当がつかないという人は、まず始まりと終わりだけ書くことから取りかかるのがいいでしょう。ジャーメインが生まれたときが左上、今現在が右下。その間を行ったり来たりして、バランスを見ながら埋めていきましょう。

もし持ち時間が10分しかないときでも、60分なり90分たっぷり話すときでも、ほぼ同じレジュメで対応できます。残り時間半分で片ページ終わるところまで持っていくように振り分けをして話の密度を調整したり、聞き手とのコミュニケーションを取ったりしながら進めればいいからです。

また、見開きに見出しを並べて置いていくというこの手法は、物語を書くときも伝えたいことを書くときも、なんにでも応用できます。

最初に見通しを立てずに頭から書いていくと、頭のほうだけみっちりして尻切れトンボになったり、大事なポイントにヌケモレが生じてしまったりと、バランスが悪くなってしまいます。

全体像が把握できていれば、「もっと話を膨らませてくれ」「やっぱり前後編の2回でやってほしい」と言われたときに、もくじの1のところをさらに2つに分けるとか、片ページずつ2回の講座にするために再構成する、といったこともやりやすくなります。

いずれにしても、何か物事を伝えないといけないときには、相手がそれを受け取る時間を想像しながら分割して作りましょう。

「3分しかない」ときと「50時間もある」では同じ熱量で話せませんし、情報量もまったく違います。「ジャーメインについて3分で話して」でも「マイケルとジャネットのお兄ちゃん。ジャクソン5のメンバーだった。ホイットニー・ヒューストンと不倫していた」くらいは伝えられます。あらかじめ全体のバランスを考えて見出しを付けておいたら、持ち時間が短くても長くても、大事なところは漏らさないはずです。

何事も全体像の「把握」「分割」。それが最大のポイントなのです。

## 7 | 清書は必要か？

実際に書いてみると、うまく一発ではまとめきれず「ノートは一度ラフに書いたあとで清書するものなのか？」と思った方もいるでしょう。僕はもうこのスタイルでまとめることに慣れていますから、改めて清書はしません。ある程度調べて頭の中で全体像ができたら見開きに収まるようにもくじを配置して、そこに絵や情報を書いていけばきれいに収まります。

ただ、慣れていないうちは手元にノートを2冊用意して、最初にごちゃ混ぜで書いたノートを元に、別のノートに清書することもいいと思います。これらは思考プロセスを再確認する練習になります。

## 8 | ここまでのポイントと応用

というわけで、ここまでのポイントをまとめます。

・タイトルを書く――ようするに、この人はどんな人なのか？　なんなのか？
・顔を描く
・何年生まれで何歳なのか？　――同学年・同世代・同時代にどんな人・モノがあるか
・職業は何か？　キャリア、経歴は？　代表作は？
・家系図や関係図、地図、フローチャートを書く
・見開きにもくじ、見出しを配置したあとで、間を埋めていく

このあたりのことができていましたか？　ぜひ今伝えてきたことを前提に、もう一度まとめ直して、ノートを見比べてみてください。

今回は「何も知らない人向けに10分で話す」設定の演習でしたが、これが「詳しい相手に60分で」であれば、基礎的な情報は省いてもっと細かい自分が伝えたいところ、相手が求めているところなどを中心にまとめていけばいいでしょう。

ぜひ他のテーマにも応用してみてください。そしてとにかく繰り返し作ってみること。そうすれば、これらのメソッドはあなたの体に染み込んで、インストールされたことになります。そうなれば完全に、その技術はあなたのものです。

僕のノート作りとは、ある情報を自分なりに見開き数枚の紙にまとめて、人に説明できるまで理解し、深まるまで咀嚼するということ。
あとは、このシンプルで地道な作業の繰り返しなんです。

というわけで、最後に僕が書いたジャーメイン・ジャクソンのノートを掲載します。ぜひ参考にしてみてください。

# ジャーメイン・ジャクソン ノート

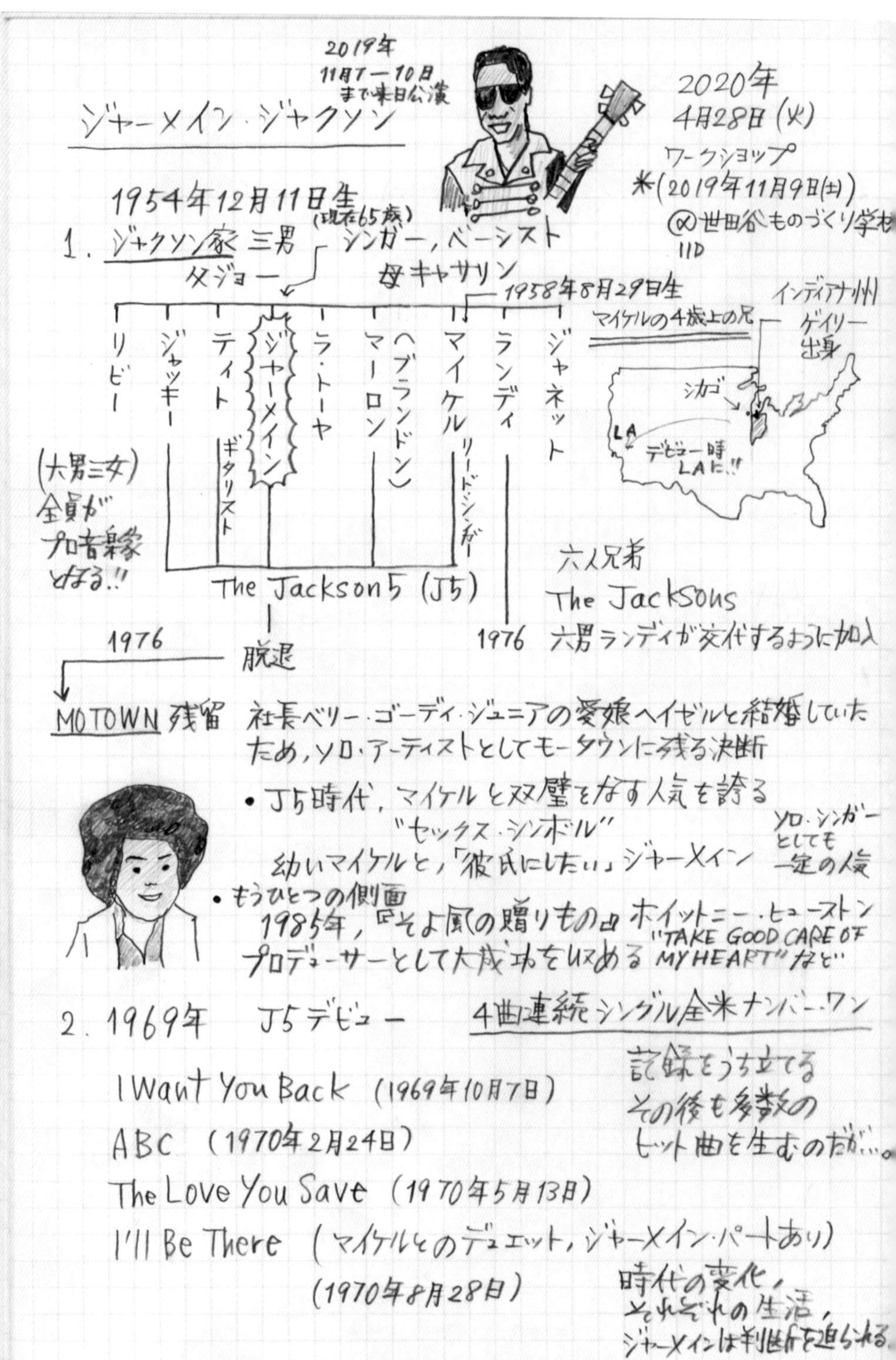

ジャーメイン・ジャクソン

2019年
11月7－10日
まで来日公演

2020年
4月28日(火)
ワークショップ
※(2019年11月9日(土)
@世田谷ものづくり学校
IID

1954年12月11日生
(現在65歳)

1. ジャクソン家 三男
シンガー、ベーシスト

父ジョー　母キャサリン

1958年8月29日生
マイケルの4歳上の兄

リビー
ジャッキー
ティト　ギタリスト
ジャーメイン
ラ・トーヤ
マーロン
(ブランドン)
マイケル　リードシンガー
ランディ
ジャネット

(六男三女)
全員がプロ音楽家となる!!

インディアナ州
ゲイリー
出身
シカゴ
LA
デビュー時
LAに!!

The Jackson5 (J5)

六人兄弟
The Jacksons

1976 脱退
1976 六男ランディが交代するように加入

MOTOWN残留 社長ベリー・ゴーディ・ジュニアの愛娘ヘイゼルと結婚していたため、ソロ・アーティストとしてモータウンに残る決断

- J5時代、マイケルと双璧をなす人気を誇る
"セックス・シンボル"
幼いマイケルと、「彼氏にしたい」ジャーメイン

ソロ・シンガーとしても
一定の人気

- もうひとつの側面
1985年、『そよ風の贈りもの』ホイットニー・ヒューストン
プロデューサーとして大成功をおさめる "TAKE GOOD CARE OF MY HEART"など

2. 1969年　J5デビュー　4曲連続シングル全米ナンバー・ワン
記録をうち立てる
その後も多数の
ヒット曲を生むのだが…。

I Want You Back (1969年10月7日)
ABC (1970年2月24日)
The Love You Save (1970年5月13日)
I'll Be There (マイケルとのデュエット、ジャーメイン・パートあり)
(1970年8月28日)

時代の変化、
それぞれの生活、
ジャーメインは判断を迫られる。

そもそも
「モータウン」とは？

MOTOWN

・GOTA NISHIDERA'S UNBREAKABLE NOTE BOOK METHOD

社長ベリー・ゴーディ・ジュニアの元、「ヒット曲製造工場」と呼ばれる「作詞家・作曲家・演奏家・シンガー（パフォーマー）」の連携を武器に、1960－70年代を代表するレーベルとなった。 あくまでも、ゴーディのワンマン体制

スモーキー・ロビンソン＆ザ・ミラクルズ、ダイアナ・ロス＆ザ・スプリームス、ザ・テンプテーションズ、スティーヴィー・ワンダー、マーヴィン・ゲイなど。

マイケルや、ジャクソン家にとっては憧れの名門。しかし……

数少ない例外（スティーヴィー → ソングライターとして開花・世界最高の音楽家へ
マーヴィン ←→ ゴーディと敵対（マーヴィンは、ゴーディの姉アンナと結婚）

を除き、ゴーディは「自主的な音楽創作」を所属アーティストに認めなかった。

ジャクソン家の不満（特に金銭面で父・ジョー
創作面で五男・マイケルの主張
ゴーディは認めず!!

新レーベルEPICへの
移籍を画策（ジャーメインには内緒で＝ヘイゼルの夫なので）

1976年のジャーメイン脱退劇!! その後しばらくソロで、ヒットは出ず。

・ジャクソンズ（六男ランディ加入）は、紆余曲折の後、1978年セルフ・プロデュース作品『DESTINY』で再ブレイク!!
ジャーメインの焦り

1979年　マイケル・ジャクソン　ソロ『OFF THE WALL』大ヒット

1980年　ジャーメイン、スティーヴィー・ワンダー作「LET'S GET SERIOUS」スマッシュ・ヒット!!

・1983年3月収録「MOTOWN 25」

ティト　マーロン　ジャッキー　マイケル　ランディ

ジャーメイン再加入

翌年のアルバム『VICTORY』（6人で）"VICTORY TOUR"参加

モータウン25周年イベント
マイケルは、ソロ「ビリー・ジーン」で伝説の「ムーンウオーク」!!

ジャーメイン『アリスタ』移籍

ホイットニーのプロデュース!!

「TORTURE」でマイケルとデュエット

1984年『ダイナマイト』ヒット / 1985

・1989年　マイケル脱退後 Jacksons リード・ヴォーカルに。
『2300 Jackson Street』発表。しかし、グループのオリジナル・アルバムとしては最後の作品に。

1991年　LA＆ベイビーフェイス Produce『You Said』収録された「Word to the Badd!!」でマイケル「批判」。現在 Jacksons 再活動中。

手書きノート　ワークショップ
3回目
8/6(火) PR　新宿紀伊國屋書店 9F　(無料 50人) 70分
9/19(木)
100名
少人数 15人
メソッドは何?
B ノートとは?
① 講義スタイル INPUT
② レジュメスタイル OUTPUT
③ クリエイションスタイル (生み出す)
11月
9日
日直

# 第2章

# POINT

# 西寺流ノート「ポイント」

ここからは僕のノートを具体例に、
それぞれのポイントを紹介。
「学ぶノート」「伝えるノート」「生み出すノート」という、
3つの切り口から解説していきます。

インプットを目的とした、自分のためのノート

# STUDY 学ぶノート

高校2年生のときに、僕が実際に使っていた世界史のノート。こうして見ると、当時（1990年）からあまり変わっていないかもしれません。このとき、すでに「西寺スタイル」が完成していたのかも!?

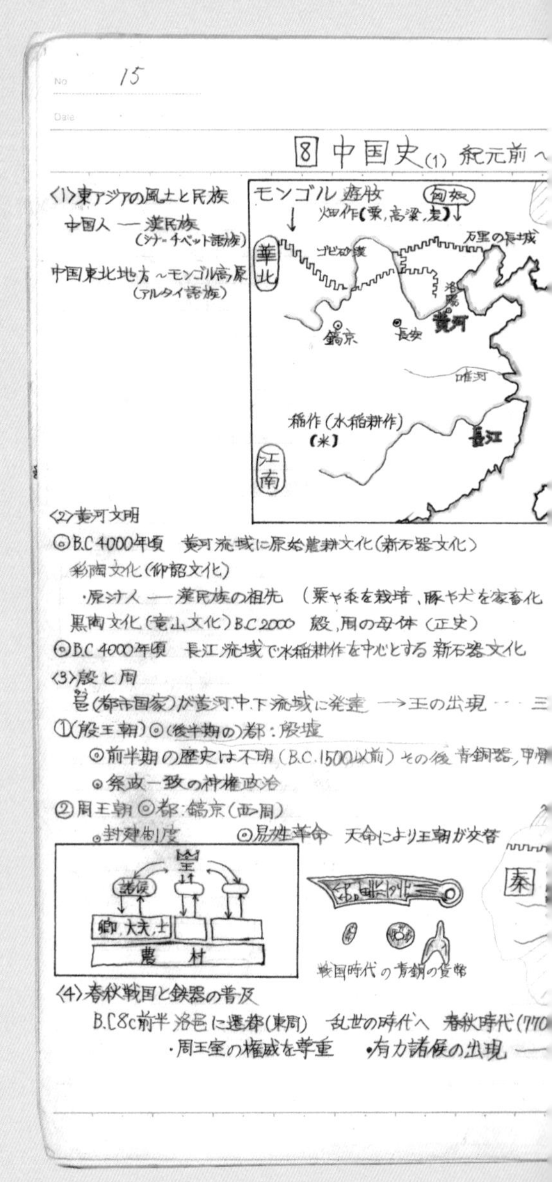


**POINT 1**

授業や講義はもちろん、本や映画など、自分の知りたい情報を受け取り、それらをまとめて、自分の頭の中に入れるために作るのが「学ぶノート」です。

**POINT 2**

黒板を書き写す板書のようなものではなく、自分の視点で情報を整理してノートにまとめましょう。

**POINT 3**

「ノートにまとめたら終わり」ではありません。それを何度も見返すことで咀嚼して、理解をより深めていきましょう。繰り返しというシンプルな作業がとても大切です。

**POINT 4**

イラストや地図を描くと、ビジュアル的に楽しくなり愛着が湧きます。全体をビジュアルとして覚えると、いろいろなことが記憶しやすくなります。

No. 16

戦国時代(403～211BC) (斉,楚,燕,韓,趙,魏,秦)

・周王室の権威なし.・有力諸侯が「王」と称する → 戦国の七雄

・実力万能の時代 鉄製農具の普及 → 土地の私有化 ・各国の富国策 → 商工業の発展 青銅の貨幣

〈5〉古典思想の開花 ― 諸子百家

①儒家 ◎孔子 ～有徳な統治者による道徳政治～徳治主義 「仁」「礼」の実現 「論語」 家族愛

孟子 ― 性善説, 荀子 ― 性悪説

②法家 商鞅, 韓非, 李斯 君主の制定する法による政治

③道家(老荘思想) 老子, 荘子 「無為自然」の生き方を主張 現実社会からの逃避

④古典文化の成立 ◦「楚辞」…屈原 ◦「五経」…「詩経」「書経」「易経」「春秋」「礼記」

〈6〉秦の統一

戦国初期 秦の孝公 ― 商鞅の改革 → 秦の強大化(都:咸陽) B.C.221 秦王政が中国全土統一 → 始皇帝と称する

(i) 郡県制を全国的に実施 李斯を丞相に起用

皇帝から任命された官吏による直接統治 ⇒ 中央集権体制へ

(ii) 貨幣, 度量衡, 文字を統一

(iii) 言論, 思想の統制 ― 焚書・坑儒 (数百人の儒学者を生きうめにした。)

(iv) 外征 ◦匈奴討伐 → 万里の長城を修築, 華南, ベトナム北部を征服

B.C.210 始皇帝の死 → 各地で反乱 陳勝・呉広の乱 旧六国勢力の台頭

→ 劉邦と項羽の対立 B.C.206 秦の滅亡 → 漢楚戦争 → 垓下の戦い(B.C.202) → 四面楚歌

(秦) あまりにも急激な改革の為失敗して滅亡

〈7〉漢の内政と外征 漢(前漢)(B.C.202～A.D.8) ◎都:長安

B.C.202 劉邦(高祖)が即位 (呂太后)

◎対匈奴消極策 冒頓単于 諸部族統一 大国家建設

▷高祖の時代 ◦郡国制 … 郡県制と封建制を併用

▷呉楚七国の乱(B.C.154) → 王侯国の弱体化

▷武帝の時代 ◎中央集権国家の確立, 事実上の郡県制へ → ヴェトナム中部まで征服

◎外征 ◦匈奴を討伐 張騫を大月氏に派遣, 匈奴を挟撃 → 西域の事情が判明 敦煌など諸郡設置

◎経済政策 ◦塩, 鉄, 酒の専売 → 国庫増収, 均輸・平準法 ▷外戚や宦官の勢力争い(B.C. 1c以降)

A.D.8 外戚の王莽が即位 新(8～23) → 赤眉の乱(18～27) 地方豪族の反抗 新の滅亡

このころ倭人 光武帝より印綬(後漢書)

〈8〉後漢の再統一 A.D.25 劉秀(光武帝)が漢を復興 後漢(25～220) 都:洛陽

◦各地の勢力を平定, 天下統一(36), 内政中心策 B.C.1c末 東西に分裂 A.D.1c頃 南北に分裂

1c後半 西域経営の発展 ◦西域都護 班超の活躍, 匈奴討伐 南匈奴 ― 長城以南に定住 北匈奴 ― 西方に移動 → フン族(?) (ゲルマン民族大移動)

◦東西交渉の活発化 甘英, 大秦国(ローマ)に到達 大秦国王安敦の使者来る。(マルクス・アウレリウス・アントニヌス)

2c 外戚と宦官の勢力争い → 党錮の禁(2c後半) 豪族による大土地所有, 農民の反乱

184 黄巾の乱

殷の青銅器

光武帝

学生の人でしたら教科書を読んで、まずは1冊のノートに自分なりにまとめてみましょう。そしてそのノートを何度も見て、ビジュアルで頭の中に焼きつけることをオススメします。

No. 7
Date

# 4 ヘレニズム世界とローマ帝国

〈1〉ヘレニズム時代 ①アレクサンドロス大王（334～324.B.C） ギリシャ～インドにまたがる大国家を建設

ヘレニズム文化を生む
- ◎アケメネス朝ペルシャを滅ぼす イッソスの戦い（B.C.333） アルベラの戦い（B.C.331） オリエント風の専政君主支配
- ◎東西民族の融合 ←── 集団結婚など ギリシャ人の植民都市建設 アレクサンドリアなど 東方遠征

②アレクサンドロスの死 ──後継者あらそい──→ ディアドコイの争い → 大国家は分裂

a)マケドニア王国（アンティゴノス朝） B.C.168 ローマにより滅亡
b)シリア王国（セレウコス朝） 都のアンティオキアが繁栄 B.C.3世紀以降 周辺より独立国家成立 ｛バクトリア（ギリシャ系） パルティア（イラン系）
B.C.64 ローマにより滅亡
c)エジプト王国（プトレマイオス朝） 都のアレクサンドリアが繁栄 B.C.30 ローマにより滅亡

③ヘレニズム時代
- ◎アレクサンドロス大王の遠方遠征 ～プトレマイオス朝滅亡
- ◎ヘレニズム文化 ギリシャ文化とオリエント文化とが融合した文化

｝世界市民主義 コスモポリタニズム

〈2〉ローマ帝国
①共和制ローマ
a)イタリア半島内の諸民族
- 古代イタリア人 ── 半島中央部 印欧語族系 ラテン人など
- エトルリア人 ── 半島北部 民族系統不明，先進民族
- ギリシャ人 ── 半島南部 シチリア島
- フェニキア人 ── コルシカ・サルディニア島（植民都市の建設）

b)都市国家ローマの成立 ─ ラテン人が都市国家ローマを建設（B.C743） 初期─エトルリア人の王による支配（B.C6C末 追放） → 王政から共和政へ（貴族と平民の分裂）（貴

元老院 セナトゥス 最高議会 統領 コンスル 2名選出 独裁官 ディクタトル 民会 コミティア 平民会など

c)身分闘争 護民官の設置（B.C5C初），十二表法の制定，リキニウス・セクスティウス法（B.C.367） ｛コンスルの1名は平民から選出 貴族の国有地占有を制限
ホルテンシウス法（B.C.287） 平民会の決議は元老院の承認をえずに国法と認定

②ローマの発展と内乱 平民（中小土地所有農民） ← 重装歩兵の活躍 都市国家体制保持 被征服土地，民族と個別に同盟 分割して統治
4～3C B.C イタリア半島を征服 植民地や軍道を建設 "すべての道はローマに通ず"

a)264～146 B.C ポエニ戦争
第1回（264～241B.C） 最初の海外領土として，シチリア島を獲得（属州） 属州としてイベリア半島を獲得
第2回（218～201B.C） カンネーの戦い・カルタゴ将軍ハンニバルがローマ軍を撃破，ザマの戦い ローマ将軍スキピオがカルタゴ本土を攻
第3回（149～146B.C） カルタゴ滅亡 → 西地中海を制覇 その影響 ・属州の発生 納税の支配 徴税請負人の搾取

b)その後 アンティゴノス朝マケドニア（B.C168） セレウコス朝エジプト（B.C.30） ｝東地中海を制覇

・経済的不平等の深刻化 ── 奴隷制大農場経営 ラティフンディア 重装歩兵の没落 ──→ ローマ軍弱体化

c)グラックス兄弟の改革（133．123B.C） 騎士（エクイテス）階級の成長〈閥族派と平民派の対立〉
（大土地所有の制限，自作農の創設によるローマ軍の再建）失敗 →「内乱の一世紀」へ

d)内乱の一世紀
- ・マリウスの軍制改革（B.C.2C末） 市民皆兵制から傭兵制へ ──→ マリウス（平民派）とスラ（閥族派）の対立
- ・イタリア同盟市戦争（91～88B.C） 半島内の全自由民に市民権拡大 ──→ 都市国家から領域国家へ
- ・スパルタクスの乱（73～71B.C.）
- ・第一回三頭政治（60～53B.C） ｛カエサル（平） ポンペイウス（閥） クラッスス（富豪）｝ カエサルの独裁（46～44B.C） 大陰暦の改良（ユリウス暦） → 単独の支配者
- ・第二回三頭政治（B.C43） ｛オクタヴィアヌス アントニウス レピドゥス｝ アクティウムの海戦（B.C31） オクタヴィアヌスがアントニウス・クレオパトラを破 →地中海世界統一（B.C30） プトレマイオス朝エジプト滅亡

この世界史ノートの最初の頃はイラストではなく、余分に持っていた資料集などの写真を貼っていました。
絵を描くのがどうしても苦手な人は、写真でもいいと思います。

No. 8
Date

)ローマ帝国 ー帝政ローマ

ローマ政治を運営・共和政の伝統を尊重
オクタヴィアヌス・元老院からアウグストゥスの称号・政治・軍事の要職を独占・市民の第一人者(プリンケプス)として 元首政 プリンキパートゥス

200年 パクス・ロマーナ
アウグストゥス
〜
五賢帝時代

◎トラヤヌス帝ーローマの領土最大
◎マルクス＝アウレリウス＝アントニヌス帝ーストア派の哲人皇帝 『自省録』
都市の建設 ウィーン・ロンドン・パリなど

212年カラカラ帝のアントニヌス勅法 → 帝国領内の全自由民に市民権拡大

軍人皇帝時代(3C) ササン朝ペルシャやゲルマン人の侵入

専政君主制(ドミナートゥス) 後期帝政

)古代の終末 ディオクレティアヌス帝
{ ⊙帝国の四分統治
⊙オリエント風の専政君主(ドミヌス)としてローマ支配)
⊙皇帝崇拝を強制(キリスト教徒迫害)

ビザンティウムに遷都→ コンスタンティノープル
ミラノ勅令(313) キリスト教公認

375〜ゲルマン民族大移動
395 テオドシウス帝の死 → ローマ帝国が東西分裂

西ローマ帝国滅亡(476) 東ローマ帝国滅亡(1453)

)ローマ帝国の滅亡
{ 多数のゲルマン人傭兵の採用 → 属州の軍隊が群雄割拠
都市の没落 → 重税のために都市を中心とする商業・文化の衰退
中小農民の没落 { 多年の従軍
奴隷制農業に立つラティフンディア
属州からの安価な穀物の輸入

オクタヴィアヌス

コロヌス(隷属的小作人)の誕生 → コロナートゥス ⇨ 中世の農奴制へ

3>ヘレニズム文化「東西の融合による実用的文化」 19C ドイツの歴史家 ドロイゼンが命名
アレクサンドロス大王の東方遠征 … ペルシャ人との結婚を奨励,「コイネー」共通語
BC 334〜BC 30 プトレマイオス朝の滅亡まで

)コスモポリタニズム「世界市民主義」 ギリシャ人の意識変革 〜人類皆兄弟〜 『理性』

)哲学
{ ストア派 … (ストイック) ゼノン(キプロス) → 欲望を排した禁欲的生活により心の平安を得る
エピクロス派 → 精神的に苦痛ではない状態に魂を解放する アリストテレスの影響

)美術 官能的・流動的
「ラオコーン」ロードス島で発見 「ミロのヴィーナス」「サモトラケのニケ」

)科学 王立研究所「ムセイオン」
エラストテネス → 地球の円周を測定 ｜ ユークリッド → 平面幾何学を大成
アリスタルコス → 太陽中心説 ｜ アルキメデス → 浮力の原理 etc を発見

4>ローマ文化「実用的」 『征服されたギリシャは、文化でローマを征服した』ホラティウス

)文学
キケロ「ローマ最大の文章家」…『国家論』『友情論』
ヴェルギリウス…『アエネイス』『農耕詩』
セネカ…『幸福論』 オウィディウス…『メタモルフォーゼズ』『愛の技』
ペトロニウス「最古の小説家」…『サテュリコン』

これだけ勉強して大好きだった世界史ですが、大学受験の科目にはまったく関係なかったというオチが(笑)。当時はこのノートの精度を上げることが、とにかく楽しかったんです。大人になってから、とても役に立っています。

今の僕は使いませんが、この時期は覚えやすくするために赤や青のボールペンも用いました。自分で楽しくまとめられて、それが記憶に残るのであれば、もちろん使っていいと思います。

No. 53

Date

# 20 19世紀末～20世紀

## 第15章 帝国主義の成立とアジアの民族運動

### 1. 列強の国情と帝国主義の成立

(1)帝国主義 → 資本の海外進出
（企業の集中・独占（カルテル・トラスト・コンツェルン）
産業資本と金融資本の融合）
→・世界的な植民地の分割
・各地で戦争（帝国主義戦争
日清戦争，第一次世界大戦

◎社会主義運動 → 社会主義政党の結成
◎民族主義運動…主にアジア

(2)イギリス…1870年代より帝国主義政策
㊗ディズレイリ首相 → スエズ運河買収（1875），インド帝国成立（1877）
ジョセフ＝チェンバレン植民相 → 南ア戦争（1899～1902）
◦労働党の成立（1906），議会法の成立（1911），アイルランド自治法成立（1914）→ 第一次大戦 延期された
（自由党内閣）



(3)フランス…1880年代～
第三共和国憲法の成立（1875）
ブーランジェ事件，ドレフュス事件
◦社会党の成立（1905）

(4)ドイツ…
1880 ヴィルヘルム2世即位（外征派）
1890 ビスマルク引退（内政重視派）
}・重化学工業部門を中心に資本主義の発達
・海軍力の整備 → イギリスとの対立
◦社会主義運動の活発化
◦社会民主党が議会の第一党へ　ベルンシュタインの修正主義
世界進出…古参のイギリス・フランスとの領土争奪…第一次世界大戦へ

(5)ロシア…フランスの援助による資本主義の発達
◦ロシア社会民主労働者党の成立（1898）→ 分裂（1903）
｛メンシェヴィキ…プレハーノフ
ボリシェヴィキ（のちの共産党）…レーニン
◦立憲民主党，社会革命党
◦血の日曜日事件（1905，第一革命）→｛各地で労・兵によるソヴィエト（評議会）
国会（ドゥーマ）の開設



(6)アメリカ…1890年代より帝国主義政策 ← フロンティアの消滅
・マッキンレー大統領（共）……◦米西戦争（1898）→ フィリピン領有
・セオドア＝ルーズヴェルト大統領（共）…◦進歩主義　反トラスト法
◦日露戦争の講和を仲介 → ポーツマス条約
・ウィルソン大統領（民）……◦『新しい自由』new freedom
◦第一次世界大戦に参戦



「絵が下手だから」と逃げないで、一度そこを鍛えてみませんか？　立体的に事象を把握する能力につながります。まずは日本の地図を見て、適当ではなくそっくりに何度も描いてみてください。

No. 54
Date

、アフリカの分割

▲アフリカへの進出

中国における列強の勢力範囲 ▶

ギリスの縦断政策
2　エジプトを保護下へ
　ケープ植民地より北進 ←セシル＝ローズの活躍
9~1902 南ア戦争
0　自治領南アフリカ連邦を組織
)3C政策に発展 …… カイロ、ケープタウン、カルカッタ
ランスの横断政策
30年代 アルジェリア攻略
381　チュニジアを保護国へ
398　イギリスとフランスの衝突 ― ファショダ事件
)ドイツのアフリカ進出
904　英仏協商の成立
　イギリスはエジプトに
　フランスはモロッコに } 権益を認め合う

エチオピア帝国と
リベリア共和国以外は → 植民地化

905,1911 モロッコ事件　ベルギー、ドイツ、イタリアなどのアフリカ進出

3、アジア諸国の変革と民族運動
(1)中国の分割と民族運動
～中国利権の争奪～
◎ロシア　・東清鉄道(1896) ← 三国干渉(1895)
　・遼東半島南部を租借 …… 勢　中国東北地方
◎イギリス・威海衛（いかいえい）、九竜半島 …… 力　長江流域
◎ドイツ　・膠州湾を租借(1898) …… 範　山東地域
◎フランス・広州湾を租借(1899) …… 囲　広東、広西、雲南地方
◎日本　・台湾を領有（下関条約(1895)） …… 福建地方
◎アメリカ　国務長官 ジョン＝ヘイ …… 門戸開放・機会均等(1899)領土保全(1900)
～洋務運動から変法運動へ ◀明治維新(1868)の影響 → 戊戌の政変(1898 3～6)
1900~01 義和団事件 …… スローガン「扶清滅洋」 清も列国に宣戦
1901 → 北京議定書　外国軍隊の北京駐留、華北・東北地方をめぐる日露の対立激化 ↗日露戦争へ
孫文　興中会　中国同盟会
(2)インドの民族運動
～イギリスの植民地支配～
インド国民会議（1885、ボンベイで結成）
全インド＝ムスリム連盟（1906結成）
◎親英的、インド人の上流階級が中心
◎ベンガル分割令(1905)反対運動 → 反英的団体へ
◎英貨排斥、スワデーシ（国産品愛用）、スワラージ（自治獲得）、民族教育 (1906、カルカッタ)
(3)東南アジア　インドネシア …… インドネシア共産党結成
ヴェトナム …… ホー＝チ＝ミンがインドシナ共産党結成　最初は反仏、のちに反日
フィリピン　アギナルドらの独立運動　米西戦争後、アメリカ領へ

勉強と捉えると楽しくないんですが、歴史はドラマなので、次はどうなるの？　というようにドキドキハラハラする映画と同じなんです。こんなにも面白い物語はないんですよ。いつか世界史の塾講師になりたいなぁ～(笑)。

大学の同級生に、日本のマルセイユタロットの第一人者・唯洋樹(よーじゅ)さんがいて。デビューする際に占ってくれたんですが、それが大当たりで、後に彼のタロット教室に通いました。

僕はノートをページ通りに使いません。前後は空白のページにしておき、余白をたくさん残しておきます。しかも複数のノートを同時に、ランダムに使いますが、タロット関連は1冊にまとめています。

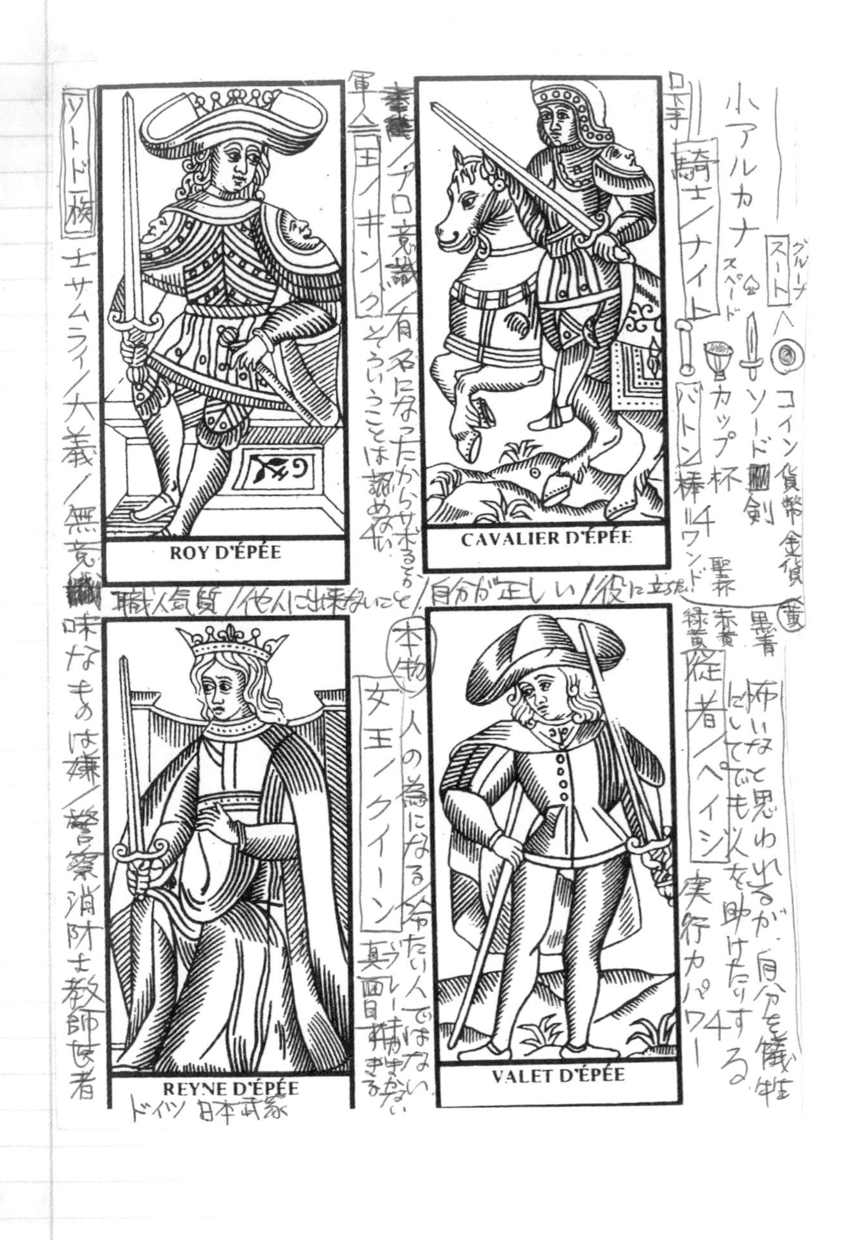


タロットは「運」に対する人類の思考の結実。カードが組み合わさり、天文学的な数の「運」が表出する。善かれ悪しかれ何千年も続く、人間の「運」の縮図なんです。

とにかく自分がやりたいテーマで、みなさんも試しにノートを作ってみてください。EXILEでもハリー・ポッター、ヒプノシスマイクでも、好きなものだったらなんでもかまいません。

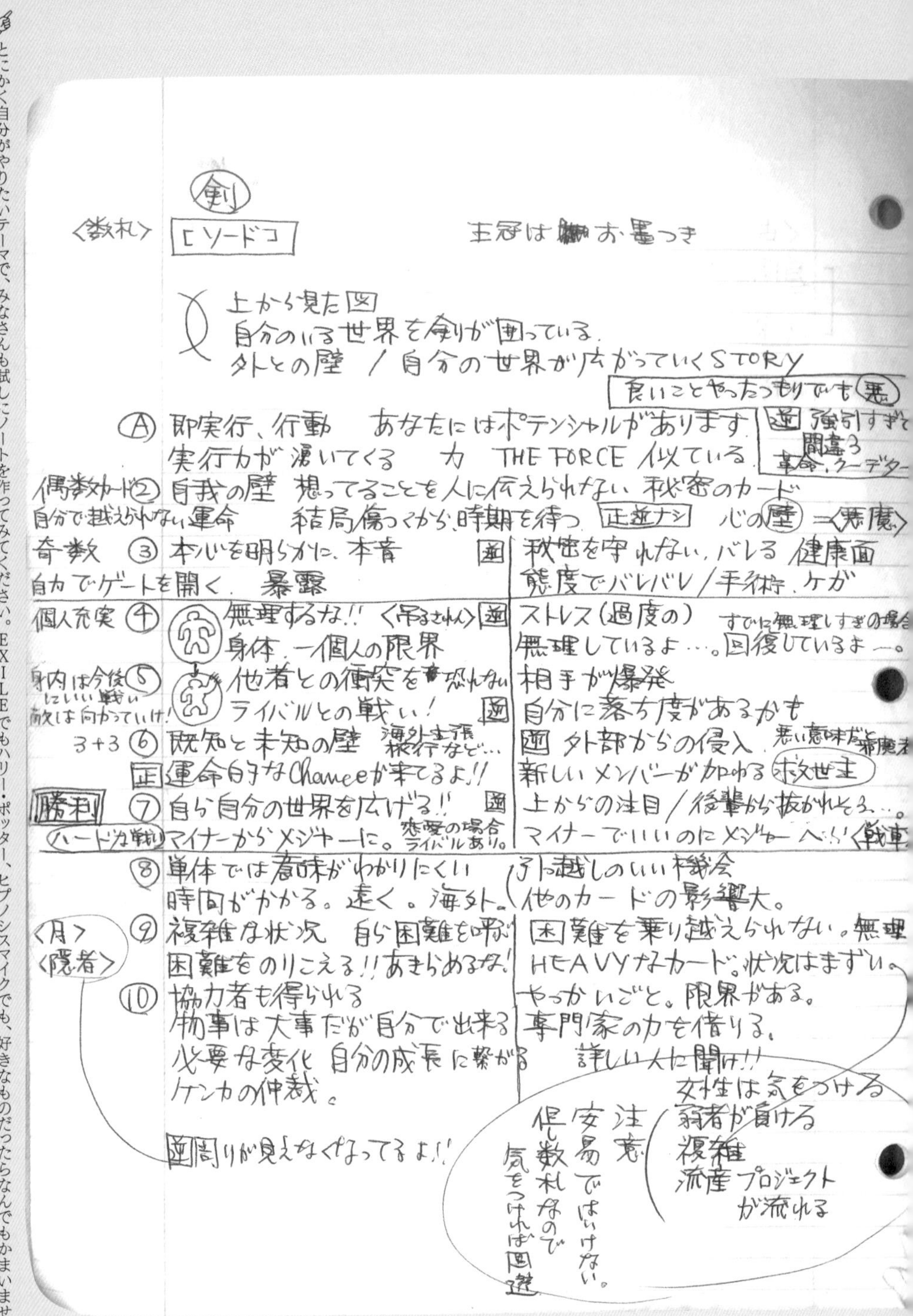
剣
〈数札〉 [ソード]　王冠は お墨つき
上から見た図
自分のいる世界を剣が囲っている。
外との壁 / 自分の世界が広がっていくSTORY
良いことやったつもりでも 悪
Ⓐ 即実行、行動　あなたにはポテンシャルがあります。　逆 強引すぎて 間違う 革命、クーデター
実行力が湧いてくる　力　THE FORCE 似ている
偶数カード ② 自我の壁　想ってることを人に伝えられない　秘密のカード
自分で越えられない運命　結局傷つくから、時期を待つ　正逆ナシ　心の壁 =〈悪魔〉
奇数 ③ 本心を明らかに、本音　逆 秘密を守れない、バレる 健康面
自分でゲートを開く。暴露　態度でバレバレ / 手術、ケガ
個人充実 ④ 無理するな!! 〈吊るされ人〉 逆 ストレス(過度の)　すでに無理しすぎの場合
身体、一個人の限界　無理しているよ…。回復しているよ…。
身内は今後にいい戦い 敵は向かっていけ! ⑤ 他者との衝突を恐れない　相手が爆発
ライバルとの戦い!　逆 自分に落ち度があるかも
3+3 ⑥ 既知と未知の壁　海外主張 旅行など…　逆 外部からの侵入　悪い意味だと侵略者
正 運命的なChanceが来てるよ!!　新しいメンバーが加わる 救世主
勝利 ⑦ 自分自分の世界を広げる!!　逆 上からの注目 / 後輩から抜かれそう…。
ハードな戦い マイナーからメジャーに。 恋愛の場合ライバルあり。　マイナーでいいのにメジャーへ!! 〈戦車〉
⑧ 単体では意味がわかりにくい　引っ越しのいい機会
時間がかかる。遠く。海外。　他のカードの影響大。
〈月〉〈隠者〉 ⑨ 複雑な状況　自ら困難を呼ぶ　困難を乗り越えられない。無理
困難をのりこえる!! あきらめるな!　HEAVYなカード。状況はまずい。
⑩ 協力者も得られる　やっかいごと。限界がある。
物事は大事だが自分で出来る　専門家の力を借りる。
必要な変化 自分の成長に繋がる　詳しい人に聞け!!
ケンカの仲裁。
逆 周りが見えなくなってるよ!!
女性は気をつける
弱者が負ける
複雑
流産 プロジェクトが流れる
注意
安易ではいけない。
但し数札なので
気をつければ回避

リング形式のノートはあまり使わないんですが、ニューヨークで買ったこのノート(ちなみに表紙は国際連合のロゴ)は使っています。ノートを購入した思い出も一緒になるので、楽しいですよね。

連絡とれないか／とれるか…。
通信運 相手と現実に繋がっている。郵便／電話
現実的なことには非常に重要
【コイン】 お金が入る。入らない etc.

FANTASY 3000 コインA 世界／太陽 幸運の約束

Ⓐ 幸運 空から降ってくる。たまたま来る幸運。定収入ではない、ずっとはない。
限定された幸運 救いの要素
(卵) ※ミラクル・カード（大アルカナが出た場合）×HAPPINESS

② ふたりの距離 密着することはない
これ以上近づくことはない。今は恋愛関係ではないが、その後は…。
信頼を勝ちとる いきなりじゃ駄目 カップの2と対極
③ ひとりの充実 個人主義 ソードのキング
自分の時間は誰にも邪魔されたくない（職人、芸術家のカード）
(逆) 人と関わるストレス 集中できない、神経質、ストレス解消が必要。

④ 安定 初恋 明るさ → コインのペイジ／女教皇の逆
若々しさで乗りきる現実
(逆) 礼儀を大切に／大人になる／相手が子供ですよ
⑤ 前向きな妥協 2(女性)＋3(男性)＝5(結婚) 世界（逆）
結婚100点満点の結婚ではないが出来る。

【正逆ナシ】 大アルカナ⑥は恋人たち
⑥ (調和) 友人(達) ←恋人家族、恋人のために使う。情報が入ってくる。
分配 みんなで分かち合う。ひとりじめはよくない。仲良く（元来の友人）
【正逆ナシ】 ＝星(逆)
⑦ 知恵 計画、作戦が大事 (逆) 考えすぎの影響がある。
発明、発見／近道 効率化 正攻法で行け!!
特許 頭を使えば物事が上手くいく ズルいことするとバレる

⑧ 努力 スポーツインストラクター
コツコツ順序良く 順番 話を通す(人)との順番。
手順を守ってサボらずやる 心理的にはウンザリ…。時間がかかる。
⑨ 自分中心 ビジネスライクなニュアンス おみこしにかつがれてる。
自分が先頭に立って邁進 うまくリーダーシップをとれれば(○)協力者
基本的に逆はないが（外には敵がいて、ねたまれている）という意味もある。
⑩ 理想の関係
結婚 理想の結婚。相性は良い。
恋愛観の違いはある。
家族観。

この特技を活かし、2005年に小宮山雄飛くん、UMUくんと僕の「ザ・プロセス」というトークユニットで、「郷球先生の政治教室～タロットで占うーポスト小泉ー大胆予想！～」というイベントもやりました。

占いは悪い結果が出ても嘆く必要はないんです。それは自分への予防接種というか、一度転ぶ自分が見えた場合は、転ばないように気をつけるという戒めになるので。

NNMP
NUMBER NINE MUSIC

③数札
大アルカナ女帝の前触れ

人から見られるというニュアンス
名誉など

<数札> [バトン] 正逆ナシのも多い

魔術師
バトン Ⓐ 誕生/マジシャンに似てる 気持ち 新しい) 行動にまだ出てない
逆 ちょっとズレてる(が) そこまでネガティブではない
② 向上心 /修業中=勉強中 相手にアピールするだけの資格がない
(自信) 初心に帰る、若い頃に返る
恋愛の場合→浮気 ③ 力試し challenge 幸運が含まれている) 駄目な時に帰る場所
経験 可能性の幅を広げる サイドビジネス
メインビジネスは置いておく
一人前 ④ 基盤 研修が終わって「ひとり立ち」皇帝 一時的安定 足場固め
<逆>は動く時。転職OK 白 が上。
⑤ 初陣 実社会(戦い)自己アピール/対立する人と戦う 法皇 正々堂々として負けてもズルイことして勝つな!!
(正しさ) 法皇はどこかで見ている 上の人に見てもらう、ライバルに見せつける いい戦い、行動、努力
攻撃的 挑戦 ⑥ 交渉 交渉 快楽平和主義 つり合い 取り引き ギブ&テイク
<逆> 不公平感、欲
⑦ 勝利 実力・運ともに機が熟す/勝負どころ
予分 戦車 総動員で思い切って勝利を得る

⑧ 責任の重圧 プレッシャー 現状維持 守りに徹する フラフラするな。
世の中の移り変わりの速さ… 大仕事
⑨ 活路 不安定 自分だけ頑張る 慎重さは大事。勇気 両方あればGO!
冒険(危険がいっぱい) スリル、油断大敵。
⑩ 新境地 協力者も得られる。大仕事も可能。責任の重さ。

1' 結婚を望んでいる。大金が自分に賭けられている、恋愛 覚悟
レベルアップ 出世

最終結果が数札 → すぐ効力が変わる
すぐ変わってしまう
まったく意味がない
(全部逆 やり直す
全部正位置とみなす

タロット占いを研究してみてわかったのが、占い師の大変さです。人は占い師に様々な秘密を打ち明けますが、それを真摯に受けとめるのは精神的にも体力的にも大きなプレッシャーになります。なので占いはお休み中(笑)。

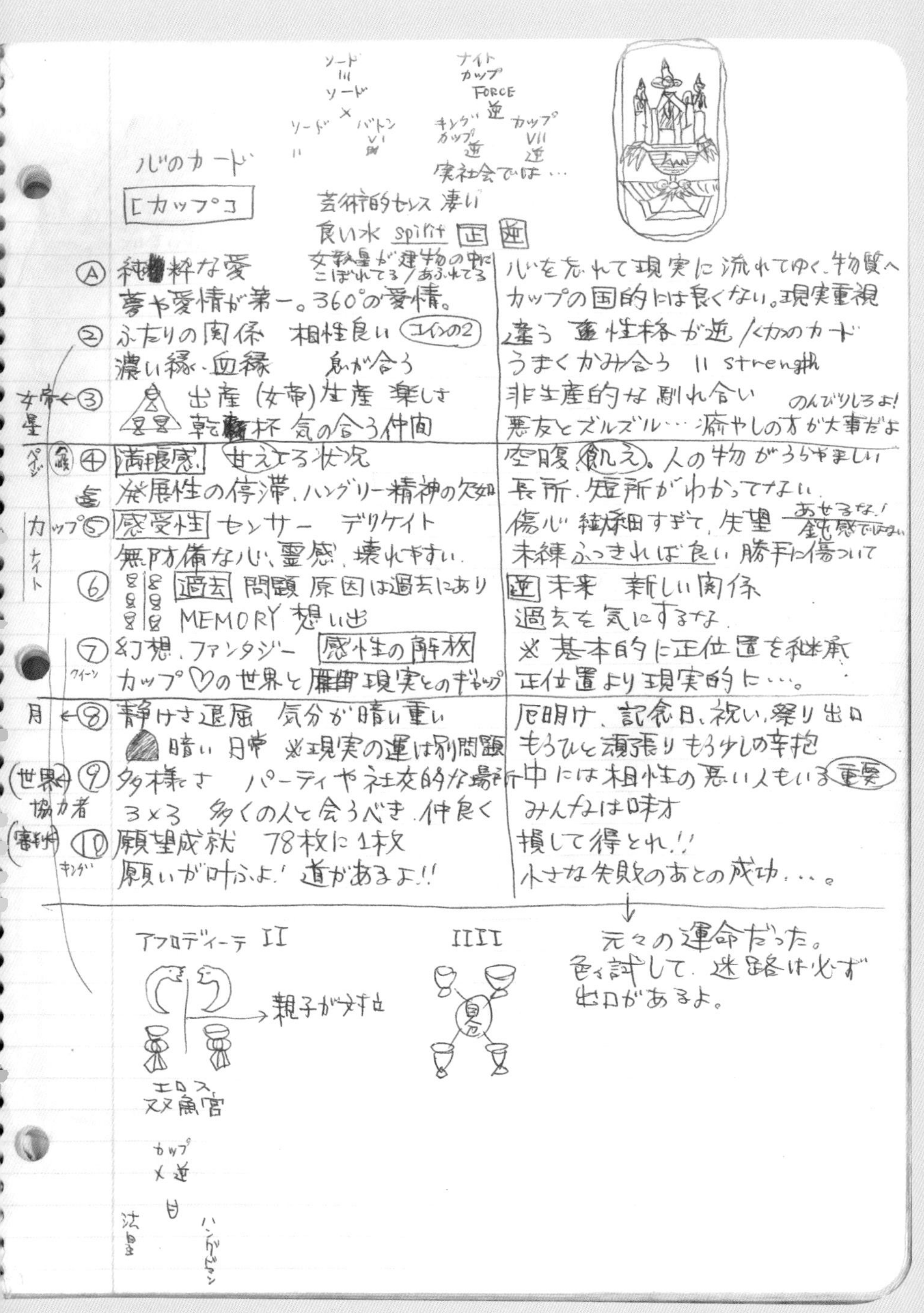

ソード
III
ソード
ナイト
カップ
FORCE
逆
ソード
×
バトン
VI
キング
カップ
逆
カップ
VII
逆
実社会では…
心のカード
[カップ]
芸術的センス 凄い
良い水 spirit 正 逆
A 純粋な愛
夢や愛情が第一。360°の愛情。
女教皇が建物の中に こぼれてる/あふれてる
心を忘れて現実に流れてゆく。物質へ
カップの国的には良くない。現実重視
2 ふたりの関係 相性良い コインの2
濃い縁、血縁 息が合う
違う 性格が逆/くカンのカード
うまくかみ合う 11 strength
女帝←3 出産(女帝)生産 楽しさ
乾杯 気の合う仲間
非生産的な馴れ合い
悪友とズルズル… 癒やしの方が大事だよ
のんびりしろよ!
4 満腹感 甘えてる状況
発展性の停滞、ハングリー精神の欠如
空腹 飢え。人の物がうらやましい
長所、短所がわかってない
カップ 5 感受性 センサー デリケイト
無防備な心、霊感、壊れやすい
傷心 繊細すぎて、失望
あせるな!
未練ふっきれば良い 勝手に傷ついて
6 過去 問題 原因は過去にあり
MEMORY 想い出
逆 未来 新しい関係
過去を気にするな
7 幻想、ファンタジー 感性の解放
クイーン
カップ♡の世界と現実とのギャップ
※基本的に正位置を継承
正位置より現実的に…。
月←8 静けさ 退屈 気分が暗い 重い
暗い 日常 ※現実の運は別問題
厄明け、記念日、祝い、祭り 出口
もうひと頑張り もう少しの辛抱
(世界)←9 多様さ パーティや社交的な場所
協力者
3×3 多くの人と会うべき、仲良く
中には相性の悪い人もいる 重要
みんなは味方
10 願望成就 78枚に1枚
キング
願いが叶うよ! 道があるよ!!
損して得とれ!!
小さな失敗のあとの成功…。
アフロディーテ II
親子が対立
エロス
双魚宮
IIII
元々の運命だった。
色々試して、迷路は必ず
出口があるよ。
カップ
逆
ハングドマン


数年間学んだので、僕はタロット占い師もできますが、当たると思いますよ〜。ちなみにタロット以外の特技は「お経」です。実家が浄土真宗のお寺のため物心つく前からリスニングしていたので、読経ができます。

関西のFM「COCOLO」の番組『CIAO 765』にゲストで呼ばれたときに、事前に作ったノートです。放送後に行われる、62回目のグラミー賞、主要4部門を予想してみようという企画でした。

ビリー・アイリッシュ　2001年12月18日生　LA
（パイレート・ベアード・オコネル）
『バッド・ティーチャー』2011年6月公開
2014 バンド「The Slightlys」14まで出演
『glee』2009－15
↑ 18才
第6シーズン ㊐ フィネアス・オコネル
共同制作者
音楽プロデューサー
2016 サウンドクラウド リリース
「Ocean Eyes」
主要4部門含む6部門にノミネート

㊫ 俳優 パトリック・オコネル
㊏ マギー・ベアード
女優／脚本家／作曲家
スコットランド・アイリッシュ
主な祖先

18才

AM6:00－11:00
8:00－ SONG OF THE YEAR / BEST NEW ARTIST
10:00－ RECORD OF THE YEAR / ALBUM OF THE YEAR
4番組

2020年（第62回）のグラミー賞

主要4部門
・ビリー・アイリッシュ
・リゾ 8部門
・リル・ナズ・エックス
「Old Town Road」
4月～8月 米ビルボード1位
新記録
Featuring ビリー・レイ・サイラス

アリアナ・グランデ
テイラー・スウィフト

グラミー賞獲得していないアーティスト達

| | |
|---|---|
| クイーン | スヌープ・ドッグ |
| ビョーク | ケイティ・ペリー |
| NAS | ダイアナ・ロス |
| ガンズ&ローゼス | ザ・ビーチ・ボーイズ |
| ジャーニー | ジミ・ヘンドリクス |
| KISS | ボブ・マーリー |
| オアシス | ジャニス・ジョプリン |

グラミー賞の結果はビリー・アイリッシュが史上最年少18歳で主要4部門を獲得。独占したわけですが、予想の段階でそうしてしまうと正直つまらないですよね（笑）。

2020
最優秀レコード賞
Record Of The Year
演奏者および製作チーム

前年度2019 "This Is America"
Childish Gambino

- Bad Guy ビリー・アイリッシュ
- Truth Hurts リゾ Lizzo
- ⊙ Old Town Road リル・ナズ・エックス REMIX ビリー・レイ・サイラス
- 7 rings アリアナ・グランデ
- Hard Place H.E.R(ハー)
- Talk カリード(Khalid)
- Sunflower ポスト・マローン & スウェイ・リー
- Hey Ma ボン・イヴェール (ヘイ・マー)

---

最優秀アルバム賞
Album Of The Year
演奏者および製作チーム

2019 "Golden Hour" Kacey Musgraves (ケイシー・マスグレイヴス)

- ⊙ When We All Fall Asleep, Where Do We Go? ビリー・アイリッシュ
- thank u, next アリアナ・グランデ
- 7 リル・ナズ・エックス
- I used to know Her H.E.R
- Norman Fucking Rockwell! ラナ・デル・レイ
- Father of th Bride Vampire Weekend
- i,i「アイ,アイ」ボン・イヴェール

---

最優秀楽曲賞
Song Of The Year
作詞・作曲者

何故男は自分が偉いと勘違いする前までしか信くないんだろう?
新しい彼はミネソタ・ヴァイキングス
ミーナ・ライオネス ソングライターに追加
スコットランド出身
DNA検査したら〜私は100%のビッチ

2019 "This is America" Childish Gambino

- Bad Guy ビリー・アイリッシュ
- Always Remember Us This Way レディ・ガガ
- ⊙ Truth Hurts リゾ リリースは2年前
- Hard Place H.E.R
- Lover テイラー・スウィフト
- Someone You Loved ルイス・キャパルディ
- Norman Fucking Rockwell ラナ・デル・レイ
- Bring My Flowers Now タニヤ・タッカー

(振られてもまたすぐに男を作るビッチですが何か?)

---

最優秀新人賞 Best New Artist

1965 ザ・ビートルズ
1971 カーペンターズ
1981 クリストファー・クロス
1984 カルチャー・クラブ
1985 シンディ・ローパー
2019 デュア・リパ

2013年から → 3枚アルバムリリース

1986 シャーデー
1990 ミリ・ヴァニリ (剥奪)
1991 マライア・キャリー
1999 ローリン・ヒル
2002 アリシア・キーズ
2003 ノラ・ジョーンズ
2005 マルーン5
2009 アデル

- ⊙ ビリー・アイリッシュ 17才
- Lizzo(リゾ)
- リル・ナズ・エックス
- ロザリア
- ブラック・ピューマズ
- マギー・ロジャース
- タンク・アンド・ザ・バンガス
- ヨラ

グラミー賞について語る場合、必ず話すのが「最優秀レコード賞」と「最優秀楽曲賞」の違いです。基本的なことから話さないとリスナーには伝わりません。

このノートを作っていたおかげで、番組MC野村雅夫くんの急な質問にも答えられました。2011年のアデルの横に、最優秀新人賞ボン・イヴェール（Bon Lver）と書いていたからです。

会員による投票
NARASが主催する音楽賞
National Academy of Recording And Science
世界で最も権威ある音楽賞のひとつ　円盤記録式
1958年 エミール・ベルリナーが発明した蓄音機グラモフォンより
グラミー賞と名付けられた

1959年5月4日 第一回グラミー賞

2018年（61）／ チャイルディッシュ・ガンビーノ（ドナルド・グローバー）　RECORD SONG THIS IS AMERICA 二冠

2017年（60）／ ブルーノ・マーズ　RECORD ALBUM 24K MAGIC　SONG That's what I like

2016年（59）／ アデル三冠　RECORD SONG Hello　ALBUM 25
新人賞チャンス・ザ・ラッパー

2015（58）16年2月／ 鎖ー牢屋ー アフリカ 炎ーコンプトン
ブルーノ＆テイラー　RECORD UPTOWN FUNK　ALBUM 1989
D'Angelo "Really Love"　エドシーラン Thinking Out Loud　SONG
ケンドリック・ラマー → "To Pimp A Butterfly" "Alright"

2014（57）／ サム・スミスとベック　史上最高の　RECORD SONG STAY WITH ME (Darkchild Ver)　ALBUM Morning Phase Beck
NEW　プリンス登場
「アルバムって覚えてる？」Black Lives Matter

2013（56）／ ダフトパンク　RECORD GET LUCKY　ALBUM Random Access Memories
スティービー、ファレル
ナイル・ロジャース、ネイサン・イースト

2012（55）／ Fun.とゴティエ　SONG We Are Young
RECORD Gotye "Some body That I Used To know"

2011（54）／ アデル　RECORD SONG Rolling In The Deep　ALBUM 21
NEW Bon Iver

僕自身、グラミー賞については詳しいわけではないんですが、年に一度、どんな音楽が世界的に流行し、評価されているのかを知るには、とてもいいチャンスになると思っています。

RECORD SONG

2007 エイミー・ワインハウス Rehab
(50) NEW

高校生2年 1990 クインシー・ジョーンズと ALBUM BACK ON THE BLOCK
(33) マライア・キャリー NEW

1989 ミリ・ヴァニリ 新人賞剥奪
(32)

1988 ジョージ・マイケルとボビー・マクファーリン ALBUM FAITH
(31) "カクテル" RECORD SONG Don't Worry Be Happy

中学生 1987 "ヨシュア・トゥリー" U2とグレイスランド RECORD ALBUM
(30) 88 東山紀之 "BAD"公開 また グレイスランド The Joshua Tree

1986 グレイスランドと愛のハーモニー ALBUM SONG
(29) ポール・サイモン グレイスランド 愛のハーモニー

1985 We Are The World ← RECORD SONG That's What Friends Are For
(28) ALBUM No Jacket Required Phil Collins

小学生 1984 NEW Cyndi Lauper NEW SADE
(27) ティナ・ターナー 愛の魔力 ALBUM CAN'T SLOW DOWN ライオネル・リッチー

1983 マイケル・ジャクソン ALBUM Thriller
(26) NEW カルチャー・クラブ RECORD BEAT IT SONG EVERY BREATH YOU TAKE

64 10才

1982 (25) TOTO
1981 (24) DOUBLE FANTASY JOHN LENNON & YOKO ONO

1980 (23) RECORD SONG ALBUM
Christpher Cross NEW SAILING Christpher Cross

自分が初めてグラミー賞を見た1983年から2018年までの大きな動きを、見開きに書き記しています。
この場合は特例で、現在の視点を中心に見ているので、現在から過去に遡るかたちになっています。

これは小説を書くときのコツを多数の本を読み、まとめたもの。いろいろな作家さんの創作の技法を書き出しました。
ノートではなく、模造紙で、広げると横幅は80センチほどあります(笑)。

アウトレット ショップ 大興奮と、結果的な残念感。
むしろ残念でないと駄目

素描
形容よりは描写

人物の外見や服装の描写が細かい。
スティーブン・キングは否定的。
顔つきや体格、着ているものは読者の想像に任せる。

自分の容姿の外観や自分の考えについて、多く語れない。

誰かひとりの視点
その人物が知る範囲

一、主人公が語り手で、物語の中にいる。
彼(彼女)は自分の体験と思考と感情しか語らず、
他人の思考や感情は想像でしか語ることがない。

二、主人公が語り手で、物語の外にいる。
主人公が過去を振り返り過去形で語っている場合。
現在だから知り得た自分の周囲の世界のことも語ることが出来る。

三、語り手が物語の中にいる。 ナレーター視点
語り手が主人公に密着している場合。その行動・思考・感情を描写し、それを論評したりする以外にも、他の登場人物の行動・思考・感情を描写したり、それを論評したりもできる。中には「ライ麦畑でつかまえて」や「失われた時を求めて」のように、自分が作者であることを意識している主人公さえいる。

四、語り手が物語の外にいる。
三人称。全知全能の語り手。「神の視点」未来に起こることを予言したりすることもできる。
主人公あるいは他の登場人物の視点になって物語ることも可能。
・空の視点 by 阿刀田高

最初にあらすじ
アウトライン
プロット(構成されたストーリー)
最後まで書く。酒を寝かせるように。
自分を表現することに100%興味がなくなった。
多くの人は個々の自分にのみ関心があり、
他人には興味がない。→エンターテイメント。
カタルシス 人を楽しませる商売。(作家。)

努力なしに書かれたものは、
一般的に読んでも楽しくない。
by サミュエル・ジョンソン

事件/対立者

全篇に情愛が行きわたっている。
「行為とセリフ」

小説の推進エンジン
①対立 自分より同等か強い
②葛藤
③障害
④謎の提出ー疑念の
⑤意外性

マンガ的なキャラ
行動と、セリフに意外性。
内面描写、心理描写
言葉が威力を発揮する領域
他の分野の芸術の追随許さ

ストーリーを停滞させない。
適当な長さで切り上げる。
見せよ、語るな

「あまりにも不幸なこと」

ソーントン・ワイルダーの一幕劇
「長いクリスマス・ディナー」
90年の家族の歴史、家族の高齢化と
「アクション」行動、行為。

一人称
三人称 >どちらか
変える場合は章を変える

作家は何も書くことがなくなってから勝負。by 古井由吉

作者の書きたいこと
人は自由に。
不幸な体験も
年を重ねることはそんなに悪くない。未来の糧となる。

現実では解決不能の事件は起こる
矛盾を気にしない
登場人物の性格/いきあたりばったり

理解不能な人物を登場させる。
登場人物の闇の部分をほのめかす。「底の知れなさ」
のめりこんだ人間の心理。凄味
不条理 無力感
探すけれど犯人は見つからない。
変わった音楽を聴き、視聴

ヘミングウェイ。簡潔、ハードボイルドな文章。乾いた文体。
冒頭 主人公の名を書くのは非文学的
川端康成『雪国』
「国境の長いトンネルを抜けると雪国であった。夜の底が白くなった。」

時間軸で基本進む

「対立」 価値観の異なる者が対立す
主人公と何者かとの対立
親子 どちらかに感情移

起承転結 /残滓

悪 自分自身の脆弱な部分
卑劣な部分
臆病な部分
自身の俗物性

シナリオ≠小説
迫力の源 ⇐
消失したヒロインの理由を書かない。
死を背後に感じる。
真剣に死と向きあってみる。
「トリストラム・シャンディ」主人公
なかなか生まれてこない。

蘊蓄 その筋の資料

小森の行方は誰にもわからない。

丸谷才一
時には一見本筋と関係なさそうな話が作者や登場人物によって語られる。
「文学のレッスン」
大江健三郎
「同時代ゲーム」

「着想の技術」 まどろみ
断片(フラグメント) 眠る 夢幻状態
雑念 川上弘美
夢心地の中

「郵便配達は二度ベルを鳴らす」ジェームス・M・ケイン 訳:田中小実昌

正午(ひる)ごろ、おれは干草をつんだトラックからほうりだされた。前の夜、国境で、おれはトラックにとびのり、キャンバス地の幌の中にもぐりこむと、すぐ眠った。メキシコのティファナに三週間いたあとで、たっぷり眠る必要があったのだ。

食堂と、その奥が店の者がすんでる住居。

町田康「告白」
安政四年、河内国石川郡赤阪村字水分の百姓城戸平次の長男として出生した熊太郎は気弱で鈍くさい子供であったが長ずるにつれて手のつけられぬ乱暴者となり、明治二十年、三十歳を過ぎる頃には、飲酒、賭博、婦女に身を持ち崩す、完全な無頼者と成り果てていた。
父母の寵愛を一身に享けて育ちながらなんでそんなことになってしまったのか。
あかんではないか。

「ですます調」
「ベスが死んで一年経ちました」
父の死が直接に描かれず突然三回忌の場面となり表現される。
金井美恵子「恋愛太平記」

省略
時間の省略。
遅延
敢えてダラダラ瞬間を作る。
次から次へと過激な展開が続くとダレる。
羅列

~~「筆舌に尽くしがたい」~~

「インド象の一隊をごっそりいれられるくらいの入口の扉」

ボーリングの球
マイボール

現在、文藝春秋digitalで1995年の下北沢のバンドシーンを舞台にした『'90s ナインティーズ』という小説を書いています。2018年から構想を温めていましたが、迷ったときの軸として、このようにまとめてみました。

ドストエフスキーは小説を書く際、それぞれのキャラクターのバックボーンや性格を、大きな紙に書いて壁中に貼りつけてから執筆をスタートしたそうです。僕もそれを読み、その方式を取り入れてみました。『'90s ナインティーズ』にも、登場人物のバックボーンや性格を記したメモが存在します。

人称　語るより見せられる。　誰の目線？　耳にしたい。彼は強く感じた。

○ジャニスはかんだを起こして枕カバーをひっかぶった。

×ジャニスはとても内気な娘だった。

ティーブン・キング（常套的な）

副詞を嫌う。彼はドアをバタンと閉めた。

比喩

戦後のにぎわしの話／あんなに美味しいものはなかった。

ファースト・シーン

「アクションが既に始まっている時点からなぜスタートしないのか？」

冒頭に動きのあるシーンを置けば、動きをとらえる視神経は、自然と周囲の状況へ向かう。

「会話」アクション開始の合図　蟹工船　博光丸のデッキに寄りかかり函館の町を望んでいる漁夫ふたり。

予感

バックグラウンド → レコード業界

素材を持ってくることで、小説に色や匂いを与えること。

前章で登場していた人物

国ひとり「陰日向に咲く」—— 次の章を引き継ぐ「ロンド」形式。

坂幸太郎『オーデュボンの祈り』

時代小説　宮城谷昌光「風は山河より」40年の熟成

ストーリー作りのヒント

主人公の年齢を若くする。

エネルギーを高める効果。

主人公の行動範囲広がる。（恋愛、過度飲食、暴力、激しいアクション）

泣かせのテクニック　「土野介正信」

主人公を泣かせる。　山本周五郎　関係気脈のつながり、読者の心の奥にふたりの情念が内向。

意表をついて、突然に激しい号泣。読者のボルテージも一気に高まる。

「けなげさ」　手紙。

笑いのテクニック　不意打ち。筒井康隆「間接話法」

笑われる本人は真面目に行動している。

主人公に屈辱を与えよ。

北方謙三「真夏の葬列」

屈辱のパワーが主人公と読者を一体化させる。

主人公を甘やかさず、次々に辛い目に遭わす。

甘美，喜び。

…なろうとする

…人が逆に主人公を窮地に陥れる。好意があだとなり、迷惑をかける。

…がゆき。

…にがんばることで 大事な時に 倒れたり、迷惑をかける。

物語は最初から始めるのではなく、

中間から始めなければならない。

幕が上がる前に、既に多くのことが起こっていなければならない。

主人公にコミカルな味つけ

最初を切る。（冒頭）

次のシーンから始めると面白い場合が多い。ラストシーンもひとつ前で終わると、良いラストになる場合が多い。

第一稿完成後の推敲の大切さ。

アウトライン，プロット

「削除」こそ大切。90%は削除。（完）と書いてから始まる。

プロット上必要のない余計，描写はばっさりとカット。

無駄な会話，副詞，形容詞も。

キング　六週間後読み、メモに問題を書き出してゆく。　反響

情景や事件を書き足す。

タイトル　　松たかこ

松本清張「点と線」「ゼロの焦点」

司馬遼太郎「竜馬がゆく」「坂の上の雲」

山崎豊子「白い巨塔」「華麗なる一族」

村上春樹「風の歌を聴け」「羊をめぐる冒険」

阿刀田高「冷蔵庫より愛をこめて」

夏目漱石「吾輩は猫である」「坊っちゃん」「それから」「草枕」「こころ」「明暗」

高村薫「黄金を抱いて翔べ」

「アルジャーノンに花束を」

「異邦人」「世界の中心で、愛をさけぶ」

「善悪の彼岸」

「限りなく透明に近いブルー」

内容と直結している必要がない。しかし、作品のイメージを表現していること。

映画：ジョン・フォード監督

「面白いキャラクターが、面白いシチュエーションの下で、面白いことをすることだ」

黄金のパターン

◎記憶喪失

◎二重人格

◎あなたは別人

◎執行のタイムリミット

◎タイムスリップ

◎人違い

◎どっこい生きていた

◎帰ってきた復讐者

◎密室殺人

◎入れ替わり

◎悪霊

◎孤島もの

◎変身

◎まま子いじめ　継母からいじめられて育った子供が逆境をはねのけ幸せを掴む姿

◎失踪

出来事の時間表（年表を作る）

アイディア・ノートを作る。

一九八五年の夏，わたしが○才のときのことだった。

親友の薫と一緒に，

脚本は，これから製作する映画の青写真であり，設計図

脚本を書くことは小説を書くよりもはるかに難しい。小説よりも制約が多い。

主人公の気持ちに対応して雨が降ったり止んだりする。豪雨　砂煙　騎馬　風にはためく旗　列車。

イントロダクション

第一楽章

第二楽章

第三楽章

第四楽章

コーダ

小説を書きたい、物語を書きたいと思っている人にも『始めるノートメソッド』はとても有益なはずです。トータルの流れを考える、分割する、もくじを作る。これだけで完成まで一歩近づきます。

僕がフランスに留学していた、大学1年生の頃に使っていたノートです。絵も描いています。一番の初歩クラスでした(笑)。この本の中では、世界史のノートの次に古い1992年夏のものです。

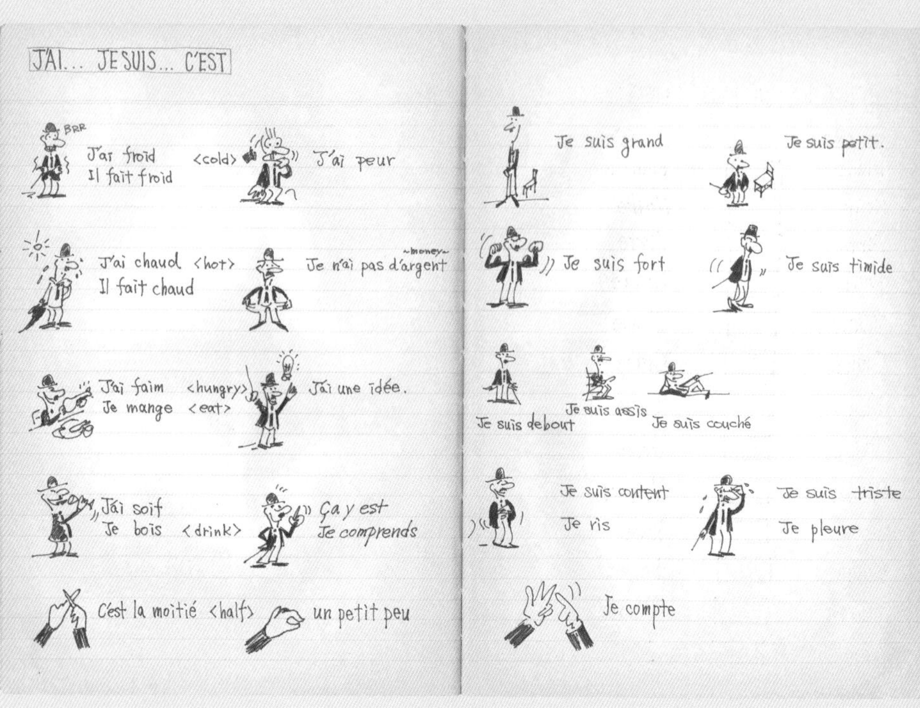

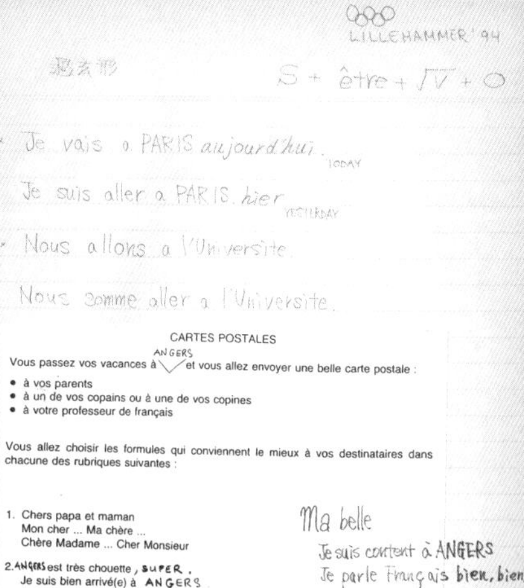

LILLEHAMMER '94
過去形
S + être + V + O
Je vais a PARIS aujourd'hui. TODAY
Je suis aller a PARIS hier YESTERDAY
Nous allons a l'Universite.
Nous somme aller a l'Universite.
Ma belle
Je suis content à ANGERS
Je parle Français bien, bien
Je veux te voir.
Mais Je suis mes à ANGERS
et avec mes amis
Je pense à toi tous les jous.
salut, a bien tot
GOTA


CARTES POSTALES

Vous passez vos vacances à ANGERS et vous allez envoyer une belle carte postale :

- à vos parents
- à un de vos copains ou à une de vos copines
- à votre professeur de français

Vous allez choisir les formules qui conviennent le mieux à vos destinataires dans chacune des rubriques suivantes :

1. Chers papa et maman
   Mon cher ... Ma chère ...
   Chère Madame ... Cher Monsieur
2. ANGERS est très chouette, SUPER.
   Je suis bien arrivé(e) à ANGERS
   Je passe mes vacances à ANGERS.
3. Je ne sors qu'avec mes amis et nous rentrons tôt
   On sort tous les soirs
   Je parle français tout le temps
4. Toute la journée on va à la mer, à la campagne.
   On mange vraiment bien
   Je comprends presque tout
5. Tout va bien
   Dommage que tu ne sois pas là !
   Mais les Français parlent très vite
6. Salut, à bientôt
   Je vous souhaite de bonnes vacances
   Je vous embrasse très fort.

約1カ月いた最終週には、それなりに言葉を覚え、ジュースをこぼしたときに「すみません」のかわりに「どういたしまして」と言うギャグで、フランス人を爆笑させていました。

111

Rose la rose
rose la vie
roses tes joues
roses tes Lèvres
je vois le monde en rose

je t'aime Cyntia 26/9/92

Mon mignon bébé
rouges tes joues
noirs tes yeux tu marches
d'un petit pas mal assuré
tu souris toujours.

祝前程似錦！ 王金兰、啊你好！ 聪子、 ni hao. 好运気！ 日本人，再见！ 大嫂儿！

Bleue la mer
blancs les nuages
blanches les étoiles
tu m'embrasses
sous les ailes noires de l'aigle.

I will never FOGET YOU!

Paty!

SEPT, 1992

Angers

Beau le soleil
rouge le ciel
rouge la rose
les oiseaux chantent
les fleurs vivent.

NOir l'homme
Blanche la femme
Jaunes les enfants
Verte la maison
Octobre arrive
Rouges sont les feuilles.

Zmyslowski Leszek POLOGNE

Vert l'arble
Jaune le soleil
Bleue le ciel
Marron le chien
Noir le chat

with love Philly Apthorpe

Bleue la mer
bleu l'air
bleue la terre
je pars en voyage
vers la réussite
rose la vie.

相野宏幸

コンマ1秒のエクスタシー

留学生同士は一生の友達のように仲良くなったんですが、結果、日本に帰ってくると次第に疎遠になりました。留学のときに盛り上がった友情が冷めていく過程で、僕は大人になりました（笑）。

アウトプットを目的とした、人に伝えるためのノート

# PRESENTATION 伝えるノート

早稲田大学エクステンションセンター中野校の講座のために作ったノート。この手書きのノートをコピーして、受講生全員にレジュメとして配布しました。

## POINT 1

人に何かを話したり、説明する材料にしたり、渡したりするためのノートが「伝えるノート」です。自分できちんと把握すること、そして相手にわかってもらうことが目的。

## POINT 2

自分の覚え書きとして台本のように使う場合と、人に配って見てもらいレジュメのようにして使うパターンがあります。僕の場合、前者がラジオなどの出演、後者が講義など。

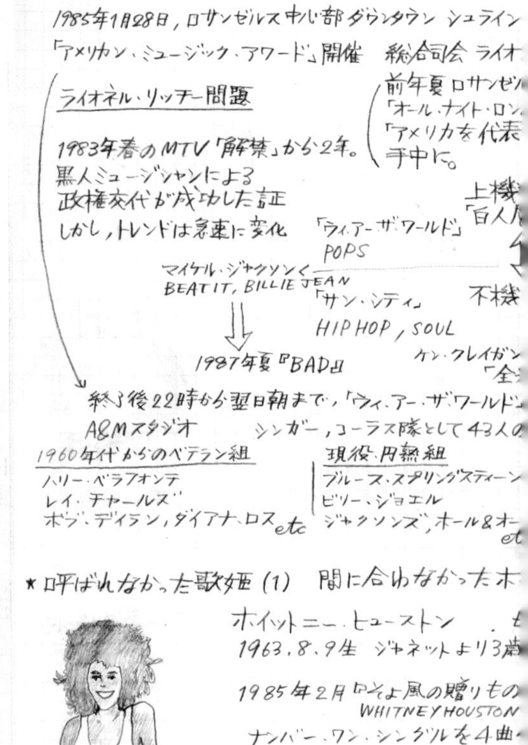

「ポップ先生の80's音楽戦国史」　西寺郷

第四回 1986年のジャネット・ジャクソンと「クォンタイ

教科書
「ジャネット・ジャクソンと80'sディーバたち」(星海社新

第一章 呼ばれなかった三人

1985年1月28日，ロサンゼルス中心部ダウンタウン シュライン
「アメリカン・ミュージック・アワード」開催　総合司会 ライオ

ライオネル・リッチー問題

1983年春のMTV「解禁」から2年。
黒人ミュージシャンによる
政権交代が成功した証
しかし，トレンドは急速に変化

前年夏ロサンゼ
「オール・ナイト・ロン
「アメリカを代表
手中に。

上機
「白人

マイケル・ジャクソン＜ BEAT IT, BILLIE JEAN
⇓
1987年夏『BAD』

「ウィ・アー・ザ・ワールド」
POPS

「サン・シティ」
HIP HOP，SOUL

不機

ケン・クレイガン
「全

終了後22時から翌日朝まで，「ウィ・アー・ザ・ワールド」
A&Mスタジオ　シンガー，コーラス隊として43人の

| 1960年代からのベテラン組 | 現役・円熟組 |
|---|---|
| ハリー・ベラフォンテ | ブルース・スプリングスティーン |
| レイ・チャールズ | ビリー・ジョエル |
| ボブ・ディラン，ダイアナ・ロス etc | ジャクソンズ，ホール&オー etc |

★呼ばれなかった歌姫(1)　間に合わなかったホ

ホイットニー・ヒューストン
1963.8.9生　ジャネットより3歳
1985年2月『そよ風の贈りもの
WHITNEY HOUSTON
ナンバー・ワン・シングルを4曲
80年代～90年代を代表

WHITNEY HOUSTON (1963-2012)

**POINT 3**

人に間違いが伝わってしまうので、事実や日時、データなどは誤りがないようにしましょう。そのためには、確かな情報源に当たること、多面的に検証することが必須。

**POINT 4**

人とは違う切り口でどのように語るかという「自分独自の視点」と、調べているものが他と何が違うのかという「対象の特別性」を意識しましょう。これらが差異を作ります。

13

ONA REEVES)

」

トリアム
ナー 35才
ンピック開会式で
うなど
ターティナー」の座を

人スター
いれられやすい」
フレンドリー、饒舌

人アーティスト
インタビュー嫌い

のアーティストを誘う
イング
集結
組
ィ・ローパー
イ・ルイス&ザ・ニュース
・E etc

は コーラス・シンガー
モデルとして成功
ュー
す
がーた。

★呼ばれなかった歌姫(2)　「旬」過ぎたマドンナ

→「ライク・ア・ヴァージン」ビルボードHOT100 首位 '84.12.22→

1985年1月28日 アメリカン・ミュージック・アワード
ヒューイ・ルイスと共にプレゼンテーターとして登場
プリンス&ザ・レヴォリューションに賞を手渡す

母マドンナ・ヴェロニカ マドンナ6歳の時、乳がんで亡くなる
父トニー 家政婦のひとり、ジョーンと再婚
兄ふたり、長女マドンナ、弟ひとり、妹ふたり。
異母妹、異母弟ひとりずつ 大家族に 父は「ママと呼ぶように」と。しかし、マドンナは反抗「10代のほとんどを赤ん坊の世話に費やした」

MADONNA 1985

1958年生 マイケル、プリンスと同学年だが遅咲き

1983年7月、25歳になる直前 ようやくデビュー・アルバム『MADONNA バーニング・アップ』リリース
19歳の時、故郷ミシガン州からNYに「上京」。苦労を重ねる。

1984年11月 セカンド・アルバム『ライク・ア・ヴァージン』の成功により、1985年の間に次世代女性シンガー、ナンバー・ワンの座をGET。

シンディ・ローパーのデビュー作『シーズ・ソー・アンユージュアル』がリリースされたのは、1983年10月。マドンナ大ブレイクの一年前のこと。
「USA・フォー・アフリカ」プロジェクト時点では、シンディの才が「格上」だった。

1985年5月11日、マドンナは「クレイジー・フォー・ユー」(初めてバラード・シングル)でビルボードHOT100首位獲得
シングル「ウィ・アー・ザ・ワールド」を引きずり下ろす。この曲でようやく「シンガー」としての魅力を認めさせる。

★呼ばれなかった歌姫(3)　ジャネット、人間万事塞翁が馬

1986年とは?
ジャネット・ジャクソンが『コントロール』をリリースし、その後のポップ・ミュージックの潮流を変えた年!

"WALK THIS WAY" Run D.M.C
"LICENCED TO ILL" THE BEASTIE BOYS

「ウィ・アー・ザ・ワールド」に何故、ジャネットは参加しなかった、出来なかったのか?
そして
その結果....。

14

コピーライター阿部広太郎さん主催の企画講座「企画でメシを食っていく」で作ったレジュメです。著名な方々が登壇していますが、僕は「音楽の企画」をテーマにした回に呼ばれました。

2019.6.29 @BUKATSUDO YOKOHAMA

「企画でメシを食っていく」第5期　音楽の企画

西寺郷太（NONA REEVES）

1
POINT
「音楽」とは「企画」そのもの

「企画」とは？
三省堂大辞林」
- 実現すべき物事の内容を考え、その実現に向けての計画を立てること。立案すること。
また、その計画や案。
→ 行うべき物事の内容がおおむね決まっていて、その実現の方法・手順などを前もって考える意。

目新しく好ましい物事の内容を具体的に考え、その実現に向けて手はずを整える意。 ⟺

2
無限の可能性

1つの楽曲
作詞・作曲・編曲／オリジナル／カバー／
Vocalは？／楽器編成は？／プロなのか？／アマチュアなのか？
ネットで配信？／単独（ソロ）／バンド／ユニット／メイク／
ヴィジュアル／ナチュラル／作りこむ？／本名／芸名／踊る？
ビデオ／デザインは？／パッケージは？／子供？／大人？
シングル（その楽曲のみ？）／アルバム？／プレイリスト？
オムニバス／カセットテープ／MD／CD-R／USB／ラジオ
YouTube／ライブ／会場／照明／セット／ステージ

3
では、何故、この講座で「マイケル・ジャクソン」をテーマに選んだのか？
音楽の歴史上、最も多種多様な企画にトライし成功させた人物。
メシという観点でも、ギネスブック記録
① 史上最も成功したエンターテイナー
② 年間売り上げ高が1億ドルを超えた最初のエンターテイナー
③ 1億400万枚の世界最高枚数の売り上げ "Thriller"

世界中でマイケルの作品

4
10億枚以上…。
特に。ビデオ、映像の世界で様々な「企画」を。
→ 黒人スターの映像を流さなかった時代
"Change"

"I want You Back" YouTube 1969.12.14 TV エドサリバン・ショー
11才
14才 1972.10.7 TV ソウルトレイン

"企画"の根源
「ピンチ」「逆境」「時代の変化」

差別の打破!!

5
マイケル・ジャクソンの場合　黒人チャイルド・スター／スーパースターとしての境遇、前人未踏の立場から圧倒的な「企画」で壁を壊すしかなかった。

トライアルの
奥底に伝統と愛。

パソコンで出力した文字を見慣れている現在では、手書きのほうが喜んでもらえることも多いです。
相手に伝わるものも大きいので、企画が通ることなどが増えるかもしれませんね。

6 Pick up 音楽とはすべて「企画」である。

S評価 坂井彩花さん 『MUSIC AND ME』
マイケルの十代のソロ・アルバム収録

"All The Things You Are" 作詞：オスカー・ハマースタイン2世
（君は我がすべて） 作曲：ジェローム・カーン 40年間700曲

『サウンド・オブ・ミュージック』 My Favorite Thing
"ドレミの歌" "エーデルワイス" "私のお気に入り"
『ショウボート』『南太平洋』
↳ ミュージカル作詞家・脚本家

「芸術家なら無頼な生活をするのが当たり前で、気の向いた時に仕事をすればよい」という神話を信じておらず、インスピレーションが突然肩をたたくのを待っているような人間は仕事を変えた方がよい」。毎日何時間かピアノの前に座っていれば、たとえすぐには名曲が生まれなくても、いいアイデアや何小節かの良いメロディを生み出すことが出来る。それが集まって良い曲が出来てゆく。

YouTubeでも!!

JAZZ

Ella Fitzgerald 黒人女性歌手
エラ・フィッツジェラルド 1956，2月7日 REC

Joe Pass ギター・インスト／ライヴ
ジョー・パス

Frank Sinatra 白人男性歌手
フランク・シナトラ 1945．1月29日

Bill Evans ピアノ
ビル・エヴァンス

1939年のミュージカル
"Very Warm For May"
メイにはとてもあたたかい？
駄作から名曲が!!
即打ち切り(59回)

当たり前の現実だと思わない。
常に様々な可能性，意外性の中から
優れた音楽表現は「企画」されている。

7

特A評価 稲康正さん
『THRILLER』収録
作詞：ジョン・ベティス
作曲：スティーヴ・ポーカロ 編曲・演奏：TOTO
プロデューサー 「クインシー・ジョーンズ」
"企画"の天才

"Human Nature"
BAD TOUR イギリス ウェンブリー・スタジアム 1988年7月16日
2009年
THIS IS IT 編

この音楽とのある種不条理な出会いから，色んな旅に出てほしい。
マイケルを入り口に。
JAZZ/MUSICAL/ROCK/FUNK

8 講評

まずデザインの良し悪し
コピーライト
視点をどこに置くか
意外性
キャッチーさ

小手先のテクニックは，慣れた目と耳が拒否する。損です。
様々な場面で応用できるはず!!

誠実さ／人としての優しさ
あくまでも「あなた自身」を。
厳しいかもしれないが，せっかくの出会いなので。

この日は有料の講座で、スキルを身につけたいという若者の集まりでした。
ただし出した課題に対しての彼らの取り組み方が甘かったので、厳しく指導しました。

TBSラジオ『アフター6ジャンクション』特集。80年代半ば、生ドラムのままか機械の打ち込みを導入するかで音楽界が分断。デジタル軍の代表格がペット・ショップ・ボーイズ！

アフター6ジャンクション TBSラジオ
西寺郷太の洋楽スーパースター列伝 2020.1.20 (月) 20:00→

"80s リズム関ケ原" PET SHOP BOYS 編

・ニール・テナント (Vocal) 65才 ミュージシャン兼雑誌記者 [SMに借し出しされる少年 NYCスラング？] マーベル・コミック編集など 「NME」ニュー・ミュージカルエクスプレス
1954年7月10日 歌詞担当

・クリス・ロウ 基本(Key)サウンド 60才
1959年10月4日 メロディ担当

1981年8月 Hifi楽器屋で同じキーボードに手を伸ばした
学生 リバプール大学で建築を学ぶ／トロンボーン ピアノ

2020年1月24日(金)
"Hotspot"

運命的な出会い ← うちにシンセサイザー見に来ない？
ロンドン高級住宅街チェルシー 南西 キングスロードで

Songwriting
1983年ポリス NYC
♪Monkey Business "SMASH HITS" 取材で出会った NYCでボビー・オーランドとともに4時間で録音した
1983年 エピックと単発契約し「ウェスト・エンド・ガールズ」を翌年リリースするがヒットせず (ベルギー、フランスでは小ヒット)
「オポチュニティーズ」第一弾不発

1985年10月 ステファン・ヘイグと再レコーディングした「ウェスト・エンド・ガールズ」を移籍したパーロフォン(EMI)からリリース
↓
クリス・ロウは「やり直し」を嫌がったが、ニールは妙案だと思った。
年明け、1986年1月 全英2週連続ナンバーワン
ラップミュージック的なAメロ
サビではポップなリフレイン
"Grand Master Flash"の影響 英国アクセントのラップ
大金をもうけようぜ！『Let's Make Lots Of Money』 格差
1986年5月 全米ナンバーワンに。EAST END／WEST END

デビュー時、ニール・テナント31才
かなりの遅咲き
1963年生 ジョージ・マイケル (WHAM!) 9才差
1961年生 ボーイ・ジョージ (CULTURE CLUB)
1960年生 ボノ (U2)
1958年生 サイモン・ルボン (DURAN2)
マイケル・ジャクソン
プリンス
マドンナ

1982年「SMASH HITS」取材でジョージ・マイケルにインタビュー
1959年生 モリッシー
定職のないライター
ニューヨーク・ドールズのファンクラブを立ち上げ会報を発行

2012年
ロンドン・オリンピック閉会式 PSB
移動式の楽屋にいた。となりの楽屋があまりにも大音量で音楽を鳴らす
スタッフに『音量を下げるように言ってきてくれ』→ジョージ・マイケル!!

道具の選択肢を増やすと、クリエイティブの邪魔になる要素が増えてきます。「ものを作る」「生み出す」ということに特化してきた結果、長い時間をかけてこのような自分なりのノートメソッドが出来上がりました。

「すると突然楽屋がガチャっと開いて、刑務所に入ってから会ってなかった
ジョージ・マイケルが入ってきてね。『音量下げるように言った？』
と言うから『ああ、そうなんだ』と答えたよ」

「するとジョージから『ハグしてくれないか？』って言われてね。」
ジョージは自分の楽屋に帰ると、ステレオでPET SHOP BOYSの
♪『West End Girls』をかけたんだ。大音量でね」

♪Love Comes Quickly（恋はいそがず）
1986年3月 アルバム『Please（ウェスト・エンド・ガールズ）』とほぼ
同時に発売されたシングル
全英3位 US7位
全英19位
ロンドン・レコーディング
石川秀美「Love comes quickly ―霧の都の異邦人―」
歌詞：森雪之丞
金もうけをしよう 俺は頭がいい／お前はルックスがいい
1986年5月「オポチュニティーズ」 全米10位（全裸監督CM）
チャンスを生かせ
アート・オブ・ノイズ J.J ジェックザリック プロデュース協力
1986年9月「サバービア」
郊外の地獄
ニューカッスルで暮らした日々。
犬どもが走るメインストリート
行き場がない パトカーが来て
犬と一緒に走れよ、やることがないなら
市庁舎の窓ガラス割ったり、カラーTVを
壊したり
Mini Album
DISCO Dance Remix
6月 1st Sg「It's A Sin」UK第1位 3weeks
2nd 1987年9月

Actually（哀しみの天使） 2nd Sg
UK2位 US25位
ダスティー・スプリングフィールド
Allee Wills
アリー・ウィルスとの共作
♪「とどかぬ想い What have I done to Deserve this?」
UK2位
US5位
2019.12.24 LAで死去
EW&F「セプテンバー」「ブギー・ワンダーランド」
1988年10月
3rd オリジナル・アルバムだが全曲リミックス
♪「レント」 裕福な彼氏を持つ女性目線
服、キャビア、家賃
I love you, You pay my Rent.
Introspective
♪エルヴィス・プレスリーも歌ったスタンダードブレンダ・リーの
"Always On My Mind"
6曲入り
♪Left To My Own Devices 大ヒット
アメリカでは早すぎた？
4th 1990年10月22日
マドンナ VOGUEの2年前 ハウス・ビート
Behaviour 薔薇の旋律 ♪「Being Boring」
ドイツ人プロデューサー
ハロルド・フォルターメイヤー

「丁寧にノートを手書きすること」を意識したのは、小学5年生の頃。ワープロ・パソコンが普及する以前。
当時、自作のカセットのレーベルを作るのに、文字をこすって転写する「レタリングシート」に夢中になりました。

ドイツのミュンヘンで録音された1990年発表の
『Behaviour』 ハロルド・フォルターメイヤー 映画音楽 「ビバリーヒルズ・コップ」「トップガン」
ジョルジオ・モロダーのアレンジャー ドナ・サマー，スリーディグリーズ
ドナ・サマー「ホット・スタッフ」「バッド・ガール」 『ミッドナイト・エクスプレス』でもアレンジャー

アナログ・シンセの「空気感」
「Being Boring」 彼ら自身もフェイバリットだと発言
クリス・ロウ 「自分達の家族が全員その日誘拐されたとしても，
ステージでは満面の笑みを浮かべ，唄ったり演奏したり出来る」

Ⓝ『Rockin'on』インタビュー 1990年11月
「新しさ」「実験」に固執していない。曲を書いたり，レコーディングをしたりする時は
"有名な実験的バンド"という存在に疑いを抱いてる。トーキング・ヘッズとかね。
Ⓒ
「トレンドセッターなんて考えたこともない」
「退屈な奴ら」と言われた／ビデオやテレビで愛想ふりまかない
クソ面白くもない顔をしている

「ああ，そうだ」退屈で何が悪い？評論家の「憎しみ」を刺激してやろう
ゼルダ・フィッツジェラルドの言葉「1920年代は人々が言うように
退屈な時代ではなかった。なぜなら我々自身が退屈な人間では
なかったんだから」を引用。あれは皆が言うほど退屈ではなかった，
という少年期の回想

1991 Go West ソ連崩壊にインスピレーション
社会主義的リアリズムをカリカチュア
同性愛に寛大ではなかったNYCから，ゲイのメッカ
サンフランシスコに対する憧れを歌ったヴィレッジ・ピープルの
ヒット・ソング

1986年5月10日のビルボード1位は、デジタルドラムのペット・ショップ・ボーイズ「West End Girls」。2位がシックのトニー・トンプソンがドラムを叩いたロバート・パーマー「恋におぼれて」。

話をする上で絶対に外せない重要な部分の他に、まったく余分だけど面白いパート、エピソードというものがあります。僕はこれを「ジューシーな部分」と呼んでいます。たまに果汁が飛び散りすぎて、困ることもありますが(笑)。

⑤ 1993年9月『Very』
UK1 US20

「あくまでも曲作りを中心にしている」
過去／現在／未来を同じバランスで

⑥ 1996年9月『バイリンガル』
UK4 US39

'80年代は「Hits（ヒッツ）」'90年代「Survival（生き残り）」

⑦ 1999年10月『ナイトライフ』
UK7 US84

「ニューヨーク・シティ・ボーイ」

⑧ 2002年4月『リリース』
UK7 US73

2000年代は「Touring」
2010年代は「Electric」（アコースティック・サウンドをほぼ用いない）

⑨ 2006年5月『ファンダメンタル』 UK5 US150 ― オーケストラが使われている

⑩ 2009年3月『イエス』 UK4 US32

⑪ 2012年9月『エリシオン』 UK9 US44

↑パーロフォン 約29年間在籍

⑫ 2013年7月『エレクトリック』ダンスアルバム

コバルト・レーベル・サービス内
「×2」 ― デジタル・サラウンド ―

プロデュース：スチュワート・プライス「三部作」

⑬ 2016年4月『スーパー』ポップ・アルバム

REC ロンドン／ベルリン／LA

2019年4月，19年ぶりの単独来日
武道館
サマーソニック以来

⑭ 2020年1月『Hotspot』

BOØWY『BOØWY』
ボニーM

ベルリン ハンザ・スタジオ
（埃まみれで暗い）

77年 デヴィッド・ボウイ『ロウ』『ヒーローズ』
デペッシュ・モード，ニック・ケイヴ
90年 U2『アクトン・ベイビー』

ベルリンの壁のすぐそばに，ケーテナー通り 1972年に移転してきた。
「Hansa by The Wall」「The Great Hall by The Wall」
などとも呼ばれた／マイスターザール往年の舞踏会場

200mで壁，とても静か 辺ぴな場所だからこそイマジネーション

♪Dreamland feat.イヤーズ&イヤーズ（オリー・アレクサンダー（俳優））

ビンテージのアナログ機材／デジタル・プログラミング

前回の来日，東京をブラブラして楽しかった。Google Map。地下鉄で。

桜の季節
グレイテスト・ヒッツ・ツアー START!!
春か秋に（日本の天気のよい）！

2020年代「実験的（Experimentation）」

1980年代から現在までフレッシュでビビッドな作品をリリースし続けるペット・ショップ・ボーイズには感嘆しています。いつの時代もオシャレでクール。それでいて大衆性も持ち合わせていることが，ノート作りで改めて見えてきます。

早稲田大学エクステンションセンターが早稲田大学学内で開催した、夏の講座のレジュメです。100名以上集まっていただき、大好評でした。

サタデーレクチャー 〜早稲田の杜の教養シリーズ〜
「ポップ・ミュージックの革新 ー作詞家としてのマイケル・ジャクソンー」
2019年8月24日(土) 早稲田大学 早稲田キャンパス
13:00ー14:30 西寺郷太(NONA REEVES)

【講演内容】
今年、没後10年を迎えた20世紀を代表する音楽家，マイケル・ジャクソン
彼が当時の音楽界にもたらした革命と，その後の世代への絶大な
影響を語る時，どうしても派手なダンスやライヴ・パフォーマンスなど
ヴィジュアル面に焦点が当てられることが多い。
本講演ではテーマを，摩訶不思議でリズミックな言葉選びや，
時に心からのメッセージを世界に放った唯一無二の
「作詞家，マイケル・ジャクソン」に絞り，新たな側面からその魅力
をひもといてゆく。

シカゴ
NYC
LA

1 MICHAEL JACKSON HISTORY

① 第一期： 1958年8月29日生 インディアナ州ゲイリー
6男3女の下から三番目5男
（下に弟ランディ
妹ジャネット
両親の愛情を独占したい
ダンスや歌の才能があり，
世に認められたがゆえの
「渇望」
㊛ジョー ㊚キャサリ
パフォーマンス 宗教
ビジネス エホバの証

ものごころつく前から
兄たちとパフォーマンス，
「JACKSON 5」フロントマンに。
(J5) 1969年秋デビュー!!

↓
「誕生からモータウン」
楽曲提供(オリジナル)，カヴァー
モータウンお抱えの優秀なソングライターたちの存在
「ヒット曲製造工場」 デトロイト発
車の工場のように，「ベルトコンベア」
「人種差別」 USの奴隷制度の歴史 1863.1.1 リンカーン「解放
ー1865年，アメリカ合衆国憲法修正第13条成立
形式的には終了，しかし…。
1950ー60年代 公民権運動（マーティン・ルーサー・キング牧師など
マルコムX

1

NHK-FMで2019年4月から2020年3月まで放送された『ディスカバー・マイケル』は、あたかも大河ドラマのように1年かけてマイケル・ジャクソンとその時代を紹介していくプログラム。僕にとっても大切な番組になりました。

モータウン創業者，卓越したソングライター，プロデューサーであった
ベリー・ゴーディ・ジュニア（マイケルの師匠①）の方針　1959年設立
「人種問題」「差別」「戦争」など「重い」テーマは敢えて扱わない。
アーティスト，シンガーも「政治的な発言をしない」。自我を認めない。

モータウンを代表するポップ・ソングの数々は，アメリカ国内のみならず
国境を越えて愛された。子供にもわかりやすくシンプルな言葉。

"Money" バレット・ストロング　（同名曲をマイケルは，1995年に発表）
(That's What I want) ←「お金，それがオレの欲しいモノ」

ポップ路線　作詞・作曲 ジェイニー・ブラッドフォード，ベリー・ゴーディ
1959年8月（ちょうどJ5デビューの10年前）
もちろん悪いわけではない！
スモーキー・ロビンソン＆ミラクルズ "My Girl"
"Ooo Baby Baby" etc
↑
ボブ・ディラン，スモーキーを「現代アメリカ最高の詩人」と評価

他方，ベリーゴーディ・ジュニアにJ5を「紹介(プッシュ)」したボビー・テイラー（＆ザ・ヴァンクーヴァーズ）。（マイケルの師匠②）
"Does Your Mama Know About Me"
異人種間の恋愛
「君のママは，ぼくが（黒人であることを）知っているのかい？」

骨太シリアス路線
シンガー・ソングライター
自立したメッセージ
「自作」への憧れと，必要性

むしろ，こちらの方が60年代なかば以降主流に。ベトナム戦争の混迷。
「東西冷戦激化」

ザ・ビートルズ　ジョン・レノン，ポール・マッカートニーを中心に
ザ・ローリング・ストーンズ　ミック・ジャガー，キース・リチャーズ

R&Bの世界
スライ＆ザ・ファミリーストーン etc
ベリー・ゴーディの「支配」から実力で逃れ，成功したふたり
「モータウンの先輩」　スティーヴィー・ワンダー（マイケルの師匠③）
マーヴィン・ゲイ（マイケルの師匠④）
アルバム・アーティスト　└『What's Goin On』
1970年代　『Here, My Dear（離婚伝説）』
↳「作詞・作曲の自由」求め，対立の末モータウン離脱！！

2

🎩 2020年8月29日のマイケルの誕生日には『ディスカバー・マイケル』をまとめた本を出版します。
興味のある方は、ぜひチェックしてみてください。

ダンスやパフォーマンスなどが注目されることの多いマイケルですが、この講座では不思議な言葉使いや独自のメッセージ性を持つ「作詞家」の面にスポットを当ててみました。

② 第二期 1976－1984 「ジャクソンズ時代」(「スリラー」含む)
－トライからの完成期－

作詞家，マイケル・ジャクソン

移籍後，タッグを組んだ名プロデューサー・チーム 1976年～77年 「ケニー・ギャンブル&レオン・ハフ
マイケルの師匠⑤
フィラデルフィア・サウンド 作詞家
(兄弟愛)
人種差別の現状にも，「ポジティブ」に向かい合う
逃げない。

代表曲 ハロルド・メルヴィン&ザ・ブルー・ノーツ
"Wake up Everybody"
「黒人男子のメッセージ・ソング」 ⟷ HIP HOPの台頭
ラップは大幅に歌詞，リリックの
可能性(言葉数やリズムのアタック，
表現の幅)を拡張した。70年代末～

"There's A Message In The Music"
「この音楽にはメッセージがある」がキャッチフレーズ
↕
モータウンには「メッセージ」がなかった？皮肉？
しかし…。

マイケルの自伝『MOONWALK』
「メッセージを持った曲が増え，ダンスソングが減ったのです。
平和を訴え，音楽を広めようとするメッセージは素晴しいもの
でしたが，それはオージェイズの『ラヴ・トレイン』のようで
まるで僕らのスタイルではありませんでした」

「作詞家」として、マイケルに影響を与えた先輩達 (ゴーディ・イズム
アンチ・ゴーディ・イズム

A．ベリー・ゴーディ・ジュニア(スモーキー・ロビンソン)
とことん「ポップ」なモータウン本流派
ラヴ・ソング，ダンス・ソング，キャッチー，シンプル
B．マーヴィン・ゲイ
赤裸々な心情吐露，孤独や怒り，信仰心
限界をもうけない (結果的にかもしれないが)
アンチ・モータウン的ふるまい，創造，政治，平和
C．ケニー・ギャンブル
特にグループ時代，"Can You Feel It"など，共闘
アンセム，「個」ではない。

3

今では信じられませんがマイケルも、モータウンからは作詞作曲家としての大成は難しいとレッテルを貼られていました。しかし彼は様々な経験を積む中で、ナンバー1シングルを生み出すソングライターに成長していきます。

1979 『オフ・ザ・ウォール』 単独作詞作曲曲2，共作1
代表作 "Don't Stop 'til You Get Enough" ＊ 訳詞：西寺郷太
今夜はドント・ストップ (She's Out Of my life) も
自作で初全米ナンバーワン・ヒット
"Workin' Day and Night" 吉岡正晴&GN (Off The Wall) も
ワーキン・デイ・アンド・ナイト ポップと独自を重ねている
"Shake Your Body" など，ディスコ・ダンス路線 "A Hard Day's Night" ザ・ビートルズなど
"Get On The Floor" 作詞とメロディ
マイケル。ベースライン，ルイス・ジョンソン
1980 『トライアンフ』(JACKSONS) 作詞作曲家として「完成」
最高傑作のひとつ "Heartbreak Hotel" (This Place Hotel, と改題させられる)
1977年8月16日没，エルヴィス・プレスリーの同タイトル曲への「配慮」。
"Can You Feel It" 作曲は主にジャッキー，歌詞およびブリッジのメロディがマイケル
「フィラデルフィア的」アンセム
"My Lovely One" The Motown Song!! ポップの極致
など キャッチー
1982 『スリラー』は4タイプ "The Girl Is Mine" 4曲作詞作曲
ポール・マッカートニーと。
パパラッチ，タブロイド批判 "Wanna Be Startin' Something"
"Beat It" 「逃げる」勇気
クッ！チキ！etc "Billie Jean" 人間不信，悪い噂，裁判など クインシー・ジョーンズは反対
「伊達公子」的 ← 人名 名テニス・プレーヤー「ビリー・ジーン・キング」の存在

D. ビートルズ (後に版権を取得するほどのマニア) 平和
ジョン・レノン "Imagine" "Happy Christmas (War Is Over)"
E. クイーン ↳ "We Are The World" "Heal The World"
特にフレディ・マーキュリー "Earth Song" ― 熱帯雨林について
ジョン・ディーコンとの親和性 スタジアム・ロック
"Another One Bites The Dust" リズム，ドラマ ベースライン
地獄へ道づれ ← シングルカットすべき
イギリスのロック・バンド ソングライター達からの影響 ↳ "Smooth Criminal"
"Dirty Diana"
物語，フィクショナルな情景描写，攻撃性 "They Don't Care About Us"

4

✎ 僕のノート作りの道具一式は、筆箱、鉛筆(HB)、下敷き、消しゴム、鉛筆削り、ノートと限りなくシンプル。下敷きがあるとストレスなく書けますが、下敷きを使う大人って少ないですよね(笑)。

90分の講座で、いつもより少し時間が長かったので、このときは珍しく3見開き、6ページにまとめてみました。

③第三期 1985年 ― 1993年
―充実期―

"We Are The World"
1985年1月，ライオネル・リッチーと共作
作詞はほぼマイケルとラトーヤは証言

Captain EO
エンターテイメントの枠組
"Another Part Of Me" 1986年発表
デイズニーランドでのアトラクション3D映画

You're just another Part Of Me
君はぼくの一部… 君とぼくは大きく見れば同じなんだ"
人種，国籍，地球人，宇宙規模の思想

『BAD』(1987) 9曲 単独作詞・作曲
最も「マイケル・ジャクソン」的

シンクラヴィア全盛期
スクウェアなビート
キング・クリムゾン・ファン
クリストファー・カレル氏の存在

『BAD』，ライバルのプリンス(同じ1958年生)や
HIP HOP，ハードロック勢の台頭に対抗してか．
表現がタフでハードボイルドに。
ファンタジックでドリーミーなムードは後退。

「白人的」表現を
逆輸入し取り入れる
マイケルの「凄み」
ウイングが広い！

サイーダ・ギャレット作詞
"Man In The Mirror"の存在。クインシー・ジョーンズの好プロデュース。

『DANGEROUS』(1991)
"Liberian Girl"など，特定のイメージ
(アフリカの国名)を使う巧みさ。

ニュー・ジャック・スウィングの旗手 テディ・ライリーをパートナーに。
「ブラック・ミュージック回帰」といっても良いアルバム。

"Heal The World" 単独で"We Are The World"的世界
"Black Or White" 人種差別への怒りと抵抗など
"Who Is it"＊宗教との関係，孤独
"Dangerous"＊
ポップ・チューンも多い
"She Drives Me Wild" "Can't Let Her Get Away"
"Remember The Time" etc

1993年8月以降 「少年虐待疑惑」により，完全なる逆風が…。

5

僕の持論なんですが、マイケル、ポール・マッカートニー、プリンスなど、いい曲を書く人は絵が上手です。音楽は、楽器やコードなどの立体物なんですが、すべての物事を「シェイプ(形)」で捉えているんだと思います。

6

④第四期 1994－2001（2009）年

―混乱、破壊から（子育てを経た）、新たなる到達期―

『HIStory パスト、プレズント、アンド・フューチャー ブック・ワン』(1995)

政治家、権力、差別に抗う（奴らは俺たちのことなんて知ったこっちゃない）
格差社会 ↓ まさに今 アマゾン熱帯雨林
"They Don't Care About Us" "Earth Song"
"Stranger In Moscow" 実話、圧倒的孤独 "Childhood"
"This Time Around" や "D.S"
トム・スネッドン検事
ドム・シェルドン is a cold man（冷たいやつだ!!）
など民事訴訟への怒り
からリンチのような
報道、パパラッチ、タブロイド
"Scream" "タブロイド・ジャンキー" "Money" "2 BAD" など

この『HIStory』、当時聴いた時、本当に驚いた。
モータウン、フィラデルフィア、クインシー、そして『DANGEROUS』期ですら、まだ保たれていた言葉の「エンターテインメント性」が、極限状態のマイケルによって放棄されているから。

しかし、ここでこれまで培ってきた（幼少期から）ルールを完全に無視し、音楽を「心からの」パーソナルなメッセージとして記録し、発表したマイケルを今は尊敬している。なかなか出来ないこと。

『Blood On The Dance Floor』(1997) を挟み
『Invincible』(2001) へ。 怒り、自分のタフさ、信じる強さ、メディア批判
"Speechless" "Unbreakable" "Privacy"
"Ghost" 路線（ハロウィン的） "Threatened"

作詞家としての最高傑作
"You Rock My World" *
"VICTORYさん"
ハンドルネーム

2009年まで、マイケルは失われた少年時代、「日常生活」を子供たちと共に取り戻したと思う。
「女性」への愛を超えた
子供たちへの真の愛に触れた
歓びに「充足」した彼が初めてみられた。

書くものはすべて手書きノートにすると決めているわけではありません。
コピペを多用する場合はパソコンのほうが圧倒的に便利。最適の方法が、ノートという場合が多いだけなんです。

本書の姉妹編の書籍『伝わるノートマジック』刊行記念として、紀伊國屋書店新宿本店で開催されたイベント「西寺郷太のノート術講座」で配布したレジュメです。

NOTE METHOD / Gota Nishidera Gotama

①「西寺郷太のノート術講座」 タイトルが大切 必ず、まず書く

↑ タイトル、テーマ

a. ノートの左上 大きめに。

b. アンダーラインや マス目を使った囲みで 強調。定規もあり。

c. 鉛筆のみのスタイルなので 工夫が、良い意味でパターン化

＊自分でゼロから考える場合もあるが 基本は状況や場所、タイミングで 決まる場合も多い（例えばマイケル誕生日など）

＊ただし、ぼくの場合9割くらいは 「ネーミング」「タイトル」は自分で決める。

タイトルの中にヒントが隠されている

集まる人、リスナーにとっても大切なよりどころ

② 日付、時間、場所を記す

2019年8月6日(火)

今回の場合 ⟶ 紀伊國屋書店 新宿本店 9F イベントスペース

19:00〜20:10 (70分) ← 時間の把握

初期（2000年代のノート）には、イベント名など記載がなく、今回 ファンの皆さんに助けてもらった。

→ テーマ、タイトルに関する考察

③ 今回の「ノート術講座」に関しては、スモール出版からの提案

70分をどう使うかを、ノートに書き、プリントとして配布。

あわよくば、次のシリーズ（仮）『真似するノートメソッド』

『始めるノートメソッド』 → 術

『伝わるノートマジック2』

に使えるかもと思いながら書いています（笑）。

④「目次」の重要性。 本を読む前に「必ず」目次をしっかりと 読む（小説などでは、もちろんしないが）。

大切なポイントが書かれている！ 時間の配分、焦点を明確に。 スタートからゴールまで。どれだけの寄り道ができるのか。

1

新宿で暮らしていた祖父は読書家で、紀伊國屋書店新宿本店に足繁く通っていました。僕も子どもの頃からよくついてきた「聖地」。そこでイベントができるのは嬉しかったですね。

⑤
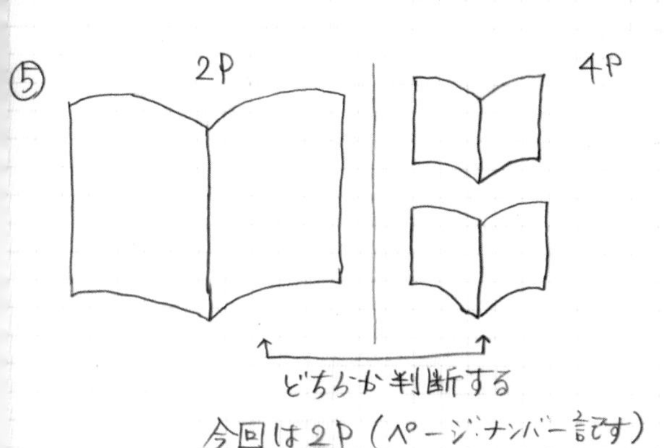


a. それ以上は、
1回の講座、授業では
あまり配らない。

b. 多すぎは、逆効果
色を使わないのも同じ理由

c. ノート作りそのものが、
大切なのではなく、あくまでも
円滑にトーク、会議を進める
ための道具なので。

今回は2P（ページナンバー記です）
その理由はFREE（本は購入してもらってはいますが^^）。自分の生い立ちと「新宿」の話。
HISTORY 自由度が高い夜にしたいな、と（全部ノートに書くスタイル）。 ここでしか出来ない

⑥ 最初に「手書きを丁寧に」意識したのはカセット・レーベル作り。
小学校5年生以降。1984年（小四）完全に洋楽にハマる。
1983年にPOP MUSICと出会う（小三）
英語はタイプライターやレタリングが存在したが、ワープロはまだ使いこなせなかった。新宿に暮らしていた祖父の話。
日本語の邦題やタイトルは、手書きするしかなかった。
ex. When Doves Cry ビートに抱かれて
Don't Stop 'Til You Get Enough 今夜はドント・ストップ

⑦ レコード・ショップ、書店、大学、ラジオ、テレビ、トークイベント会場など
メディアによってノートの作り方、準備は違う

* イラストを入れる場合（永久保存版として） a. 大学 b. トークイベントなど

* 打ち合わせでありとあらゆる話をして台本を制作してもらい間違いを正す a. テレビ b. ネット番組司会など
出来る限り台本通り（下準備しているスタッフがいるので）

* 絶対にデータ、時系列を間違えないように a. ラジオ
楽曲タイトル、いつリリースされたか日時。海外と日本の差。
Wikiを信じすぎない。意外に(!)過去の公式ライナーノーツは役に立つ

⑧ 今回の「スターターキット」を使うと、
気合が入る（はず）！
皆さんに感謝!!
2

『伝わるノートマジック』を出版して以降、どうすれば上手にノート作りができるのか、ノートを理解するプロセスをルール化できるのか何度も考えました。その結果が本書です。

ザ・プロセスとは、僕とホフディランの小宮山雄飛くん、UMUくんの3人のトークユニット。ゼロ年代から、マイケルや自民党、イスラム教や世界史などのトークイベントをしていました。

③ 西寺郷太「メジャー・デビューまでの

1.位 死にかける（0歳）1973年
ヘルニア（脱腸）になり、産まれてすぐ入院。医療ミスで生後一ヵ月後、昭和48年 大みそかに死にかける。正月休みだったこと たまたま近所の病院（医院）に麻酔と外科の先生（親子）がいて助かった。良かった。
（麻酔：息子　外科：父　↑みま外科）

2位 アフリカへ毛布を送る運動（11歳）1985年
小学校6年生で児童会会長に当選。当時、世界的に大流行だった「WE ARE THE WORLD」などのアフリカ救済活動に感激し、壁新聞「WORLD TIMES」を発行。学校のピロティ（中庭）に貼り出し、大々的にキャンペーンを行う。演説などを展開し、一躍生徒や保護者のヒーローになるが…。♪ ＜教訓＞
アフリカの人を助けるのは大変。

3位 チェリーのお墓（12歳）1986年
弟（6歳下）が可愛がっていたハムスター、チェリーが突然死んだ。その日に起こっていた出来事とは？＜教訓＞ ○○○をしてはいけない。

4位 はじめてのCD（17歳）1991年
小学生の頃から宅録をはじめる。最初はラジカセ2台を使ったピンポン録音。楽器ができないので全部「声」。
中学・高校と楽器を買い集め、ドラムマシーンなども使えるように。
'91年に1枚だけの自主制作CD「SPIRITUALITY」を完成。
友達にはカセットで配布。♪ → 聴いてみよう。という流れ

5位 もっちゃんとの出会い（6歳）1979年
小学校に入る前に引っ越したマンション「洛南ハイライフ」。
京都市南区吉祥院前田町1-1
ここで運命的に「もっちゃん」こと鈴木元昭くんと出会う。
2つ年上の先輩。いち早くワム！、マイケル・ジャクソン、カルチャー・クラブ、DURAN2などの情報を教えてくれる。後に彼はHARD ROCK、HEAVY METALにハマり、音楽的には断絶。
＜名言＞「郷太、おまえも大人になったな。

このページこそ、タイトルと分割のひとつの見本です。
それぞれの事件にタイトルと順位をつけ、しゃべったり語ったりしやすいようにしています。

2008.10.31

軌跡」　人生 10大ニュース！　PAGE 3　gotaume for ザ・プロセス・トーク・ショウ @ 新宿ロフト・プラスワン

・オマケ（OMAKE）

・みかん事件

・★はじめての標準語 ～歌舞伎町にて～
・渤海（ぼっかい）
・ノリオ ～噂のNORINORI BOY～
・「基礎解析」の悲劇
・サッカー下手くそ ～のぶに負ける～
・じゃこ親父とポカリスエット

・JAZZ盗まる！
・ギター盗まる！

・ミソ・スープ ～哀しみのキャサリン～
・生徒会長当選
★・尾形大作

・愛しのどさん子ラーメン
・親友がアル中に。
・OOO神"GN"（時効）

・クリスマス・ライヴの悲劇
・図書室の帝王
・京都新聞の帝王
・肛門エキスで一世風靡

・たこ焼きフェイスの誕生
・ヴァレンタインの王様 ごうちゃん

・「自由はいらん」？なんでやねん！
・歌うもて良かったー。
・手品

・体をはったイタズラ ～風呂編～
・音楽サークル幹事長就任 ～酒と女～
・不一致 ～パンクとポップ～（バンドやりたいのに…）
・小松のTシャツ
★・屁はついてくる

★・ご、ご、ご、ご、ごめんなさい

「肛門エキスで一世風靡」「屁はついてくる」「たこ焼きフェイスの誕生」など、それぞれのタイトルを見るだけで、今もすぐに話し出すことができます（笑）。

「たまご屁」は、89年にイギリス留学した際、イモばかり食べているとあまりにも臭いオナラになり、友達の前でふざけてこいていたら海外の人からも逃げられ、国境を越えたというお話(笑)。

6位 たまご屁 〜国境をこえて〜 (15歳) 1989
〈教訓〉 鼻は世界平等

7位 必殺事件 〜日の丸のハチマキ〜 (10歳) 1984
〈歌〉 西寺!必殺!郷太!必殺!

8位 親父の○○,発覚! 〜泣きながら、ワム!ラップ〜 (11歳) 1985
〈教訓〉 親は好き勝手に生きるべきだ。

9位 大学入学 初日に小松に会う 同級生の (18歳) 1992
先輩矢野さんのドラムに感激。小松をムリヤリ誘う。
後輩 奥田 (サプリをかみながら登場) NONA REEVESへ!

10位 殺しますんで! 〜都会の闇〜 (19歳) 1993
最悪だった大学時代 ライヴハウスのウーファー
〈教訓〉 周囲にある程度気をつかおう。

僕のノートの使い方は、まさにメモ用紙と高級ノートの中間なんですよ。
つまり「高価なノートを大雑把に使う」ということ。これが僕の行き着いたノートメソッドです。

2008.10.31

PAGE 4

gotama for ザ・プロセス トーク・ショウ @新宿ロフト プラスワン

- はじめて行ったライヴはジェネシス
- つくば万博 EXPO'85
- ★ディズニーランドの包装紙

- 行けなかったBAD TOUR
- 行けたFAITH TOUR
- 「四時ですよーだ」と「生修ファイブ」

- 男子と女子
- モテない高校時代 ～オレの良さが伝わらない～
- バンドと青春 ～ドラムでは活躍～

- ひとり暮らし ～東中野にて～
- ★誰よりも早いワキ毛
- ゲイに好かれる

- にんにくラーメン
- ボサノヴァ
- 後輩ととっくみあい（さかえ通り@高田馬場）

- 淋しいメルシー
- バイト先のカレー
- 西寺と東寺（東寺保育園）

- 盆地のチャリ通
- かぐや姫 ～これがほんとのかぐや姫～
- ★人生で一番大きな声を出した日

2020年4月にスタートしたSpotifyオリジナルポッドキャストの番組『西寺郷太のGOTOWN Podcast』では、最近チャンスのなかったこのようなくだらないことも話していきたいと思っていますので、聴いてください（笑）。

アウトプットを目的とした、自分のためのノート

# CREATION 生み出すノート

作詞を担当したさかいゆうくんの「リベルダーデのかたすみで」を作った際のメモです。まさにリアルな創作の過程。左側にスティーヴィー・ワンダーの楽曲の邦題を並べています。

何万光年のジェラシー

軽はずみの 唇 ~~そっと~~ も交わし
ただ密かに 孤独を探してる
遊び慣れた その瞳で

殺すはずの ジェラシー

燦々と漂う哀しみ が 心
~~愛しい夜~~
何万光年も離れてても
あなたにジェラシー 踊る

oh
よくある話

この星の裏側でを無理矢理英単語に変換。

### POINT 1

何かを生み出すためのもので、殴り書きのようなメモが「生み出すノート」です。僕の場合はアイデアや企画出し、作詞・作曲、小説の構成案などいろいろなケースがあります。

### POINT 2

自分のアイデアや思いつきを忘れないために書く、プライベートなものです。まとめる必要もなく、見栄えも気にしません。ノートへの敷居を下げて、心を軽くして書きましょう。

## POINT 3

思いついたらすぐに書けるのが大切、とにかくスピードが重要。僕はノートを数冊同時に使って、一番手元にあるノートに常に書き込むようにしています。

## POINT 4

実際は本に載せるまでもないような殴り書きや、ほとんど書き込みのないページが山ほどあります。みなさんも自由気ままにLet's Try！

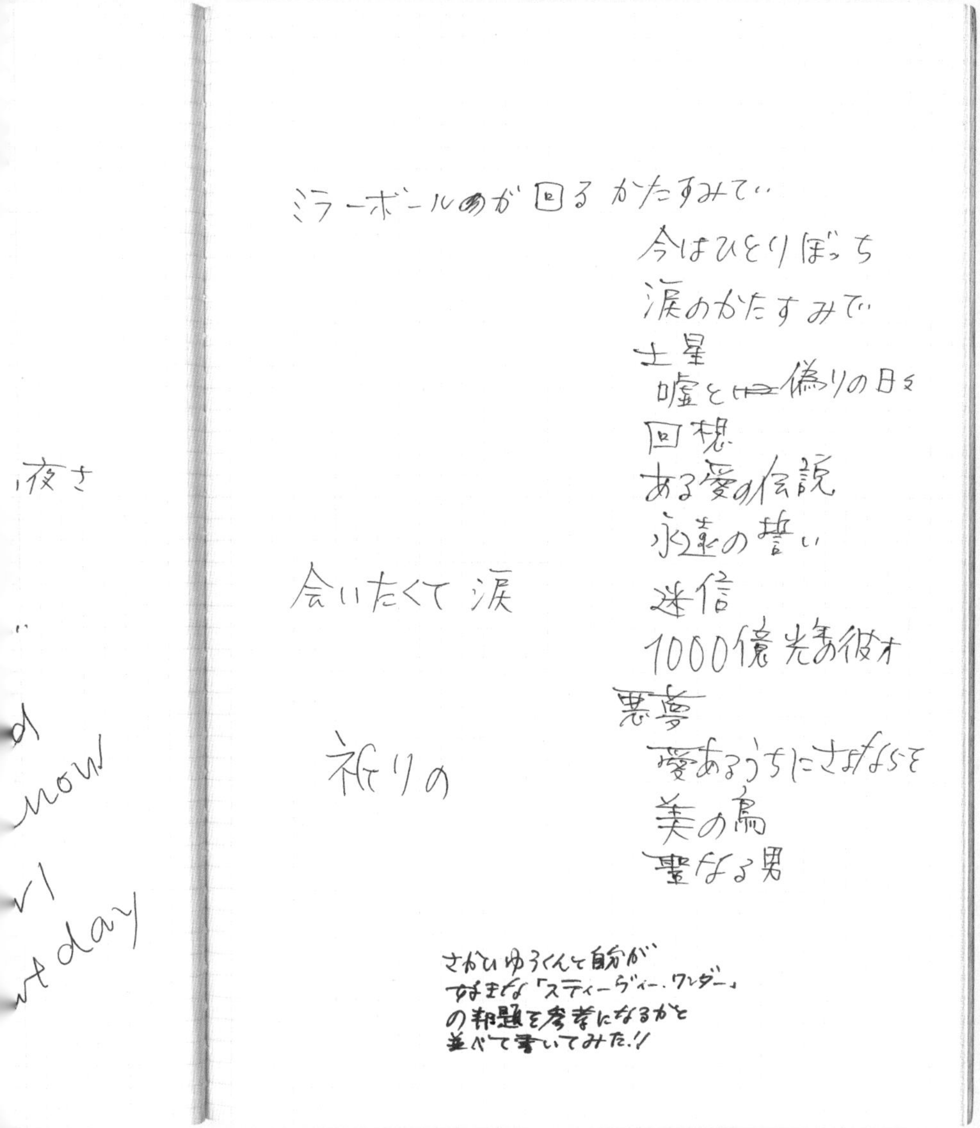

ミラーボールが回る かたすみで
今はひとりぼっち
涙のかたすみで
土星
嘘と偽りの日々
回想
ある愛の伝説
永遠の誓い
迷信
1000億光年彼方
悪夢
愛あるうちにさよならを
美の島
聖なる男
会いたくて 涙
祈りの
さかいゆうくんと自分が
好きな「スティーヴィー・ワンダー」
の邦題を参考になるかと
並べて書いてみた!!

ノーナ・リーヴスでメジャーデビューする直前のノート。頭に入れるために歌詞を書いたり、ギターのコードをメモしたりしています。手書きとデジタル文字が混在していますね。

Underground

I don't mind, what they say
I don't mind. It feel like
morning rain … (Morning train
I don't mind, It you say
"Like ordinary way!"
I don't mind, It you say
"Chu! Chu! Chu!"

---

Don't wanna ride a Underground
I'm gonna see the morning sun
Heaven only knows, that is a game
again, oh no…

---

Heaven only knows, that is a game
Love is ending on Today～

吉祥寺のイタリア料理店で一時期バイトをしていたのですが、最終電車に乗って自宅のあった高円寺に戻る駅のホームで作った曲。浮き上がることも沈むこともしたくないという、メジャーデビュー直前の不安な心が楽曲になりました。

ノーナ・リーヴス「Underground」「Mr. Hoy Tribute」の歌詞

# TRIBUTE SONG TO MR. HOY!

( G. Nishidera / S. Morooka )

ミスター・ホイに捧ぐ

転がるように / さぁ、言葉より遠くへ
君へのアイスクリーム / とろけだす、ほらね
ほのかなる緑 / 歴史より本当に …
明日への落胆 / 語れよ、ゆれるんだ

EM7 BM7
EM7 BM7
AM7 G6
C#b5 EonF#

そう、エヴリバディ
　サンデー・モーニング / 「イエス！」 / 君はきっと
エヴリデイ・エヴリナイト
丘の上 / マッチ棒こすって
　サンデー・モーニング / 「イエス！」 / 君はきっと
エヴリデイ・エヴリナイト
忘れないでね！海に向かうプライドを！

広場の向こうに / さぁ、大人より遠くへ
あの日のアイスクリーム / ボロボロ、~~ほらね~~ ~~こんなんじゃあ~~！
血塗れの緑 / 躁鬱の間に …
何を見たの？ / 覚悟は、ゆれるんだ ~~さあいね~~？ なんて

そう、エヴリバディ
　サンデー・モーニング / 「イエス！」 / 君はきっと
エヴリデイ・エヴリナイト
さよならに / マッチ棒こすって
　サンデー・モーニング / 「イエス！」 / 君はきっと
エヴリデイ・アンド・エヴリナイト
忘れないでね！海に向かうプライドを！

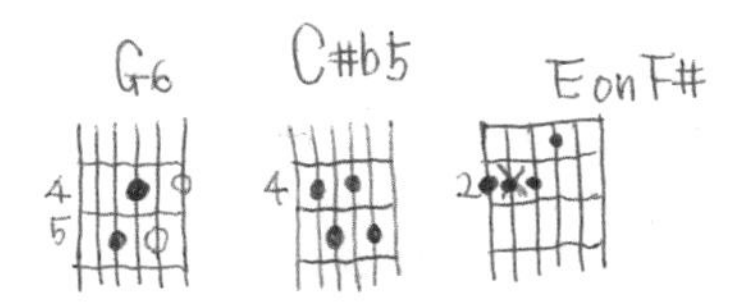


作ったノートは、その時代の自分を表しています。数年前のノートを見ると、思いもよらない発見があるものです。昔のノートを見返すことはとても面白く、それ自体が貴重な体験です。

97年当時はまだPCでレコーディングする時代ではなくアナログのテープを使ったものだったので、全体の構成を把握するためこのような表が必要になりました。

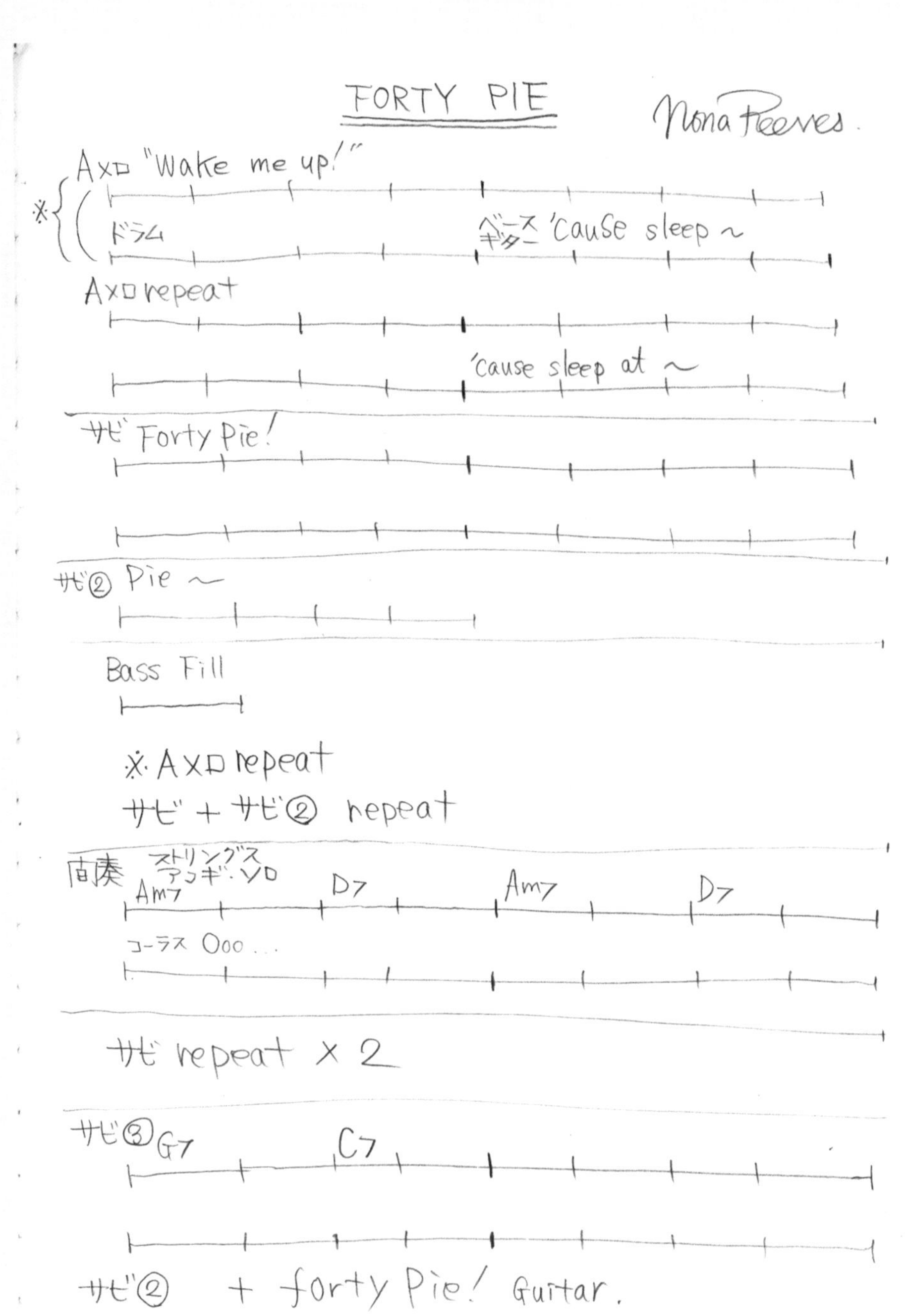


ストリングアレンジは大御所・萩田光雄さんでしたが、若い僕はその価値を理解できずにメロディを指定してしまい、今では反省しています。匠の技を見るべきでした。

Victor

No
年　月　日

## CHANGIN'

踊り明かして今夜GET DOWN
あの娘のBODYもシェイクしてBREAKDOWN
涙も弾け飛んでGET DOWN WITH ME

シー・セッド・ハイ！
シー・セッド・ロウ…
気まぐれなプリマドンナ
誘い出せ勇気出してGET DOWN WITH ME

はじめてなんだ　はじめてなんだ
こんなに胸がドキドキするの
くたびれていた日々にセイ・バイバイ

夢を願って　抱きしめたって
破んなきゃ壁は壊れてくれないよ
マイ・ソウル・センセーション
光るダンスフロアでスカイダイヴ！

BABY I GOT YOU!　　CHANGIN' CHANGE
今夜こそ決めろ！　　今夜こそCHANGIN'
CHANGIN' CHANGE
GETするぜ YOUR HEART
{夢を掴め
今夜こそCHANGIN'
CHANGIN' CHANGE
今夜こそ決めろ！　　今夜こそCHANGIN'
CHANGIN' CHANGE
GETするぜ YOUR HEART
{夢を掴め
今夜こそCHANGIN.'

FRESH! FRESH! FRESH!

ビクターエンタテインメント株式会社

ノーナ・リーヴスのシングル「CHANGIN'」の歌詞です。
ビクターのスタジオで歌ったときに、その場にあったメモに書きました。

危険日チャレンジガールズ！は、TBSラジオ『JUNKサタデー エレ片のコント太郎』から生まれました。エレキコミックのやついいちろうくん、今立進くん、ラーメンズの片桐仁くんのユニット。

FUNKY FUN

Dm7 C△7 Dm7 FonG
NA NA NA …… チェックしな FUNKY FUN！
C△7
"FUNKY FUN！" チェックだ FUNKEY FUN！ FUN！
Dm7 C△7 Dm7 FonG
NA NA NA … 最高に決めな
C△7
"FUNKY FUN！" チェックだ FUNKEY FUN！ FUN！

F△7 Em7 Dm7 C△7 Dm7 FonG
メモリーズ あの夏誓った 夢までのワインディング・ロード
C△7
今も綱渡りさ
F△7 Em7 Dm7 C△7
フォトグラフ 馬鹿騒ぎした SMILES
Dm7 FonG C△7
ひとりで眺めて泣いた部屋を抜け出して
Dm7 FonG C△7
仲間達がくれたメッセージ ハートに刻み
Dm7 Em7 F△7 Dm7 Em7 F△7 FonG
自分自身へのトライアル プライドに

（1, 2, 3 危険日チャレンジガールズ！！）

F△7 Em7 Dm7 C△7 A
世界中のつぶやき集めて 同じ時代を生きるのさ（そうさ）
F△7 Em7 Dm7
太陽目指したイカロスのようにギリギリまで
FonG
スレスレまでゆくからおいでよ ——

「FUNKY FUN!!!」は彼らと一緒に作った楽曲の代表作。プロデュースは僕で、ライムスター宇多丸さんやRAM RIDERも参加してくれました。毎年6月に行われる「やついフェス」では欠かせない1曲となっています。

記憶の破片　詞：原田郁子
西寺郷太

観覧車まわる　山の上　サマーランド
昔はもっと　ずっと大きく見えた
何度も君と　待ち合わせた駅の
ロータリー　アーケードもずいぶんと変わった
悲しい夜は　口ずさむよ
君が教えてくれた　淡いハーモニーを
I like it　I need it
会えなくても　支えてくれてる　大丈夫…

2
記憶の破片　散らばる空
Lu lu lu lu lu lu 降り注ぐ
夢を辿り（夢を辿り）その果てで
Lu lu lu lu lu lu ふたりは重なる

いつも明日が追いかけてくる
なすべきことは　ほらこんなにも多い
本当はそばに　いてあげたいの
なんにも出来ない自分が嫌い
I like you（like you）Need you（Need you）
君以外は何も意味がないし
惨めな気持ち

「自分ができる完璧なバラードソングをつくってみたい」と思い、盟友・原田郁子さんと共作した歌詞です。自分だけでは到達できない世界に仕上がりました。ちなみに、歌詞はまだ途中の段階ですね。

僕が作詞・作曲したNegiccoのシングル「I LOVE YOUR LOVE」。その歌詞の制作過程です。メロディの数に、言葉を当てはめています。完成形とは少し違いますね。

A

最初はまるで
呑気なEveryday
トンネルの街さまよってた
ほんのちょっとして
ジェラシーだけ
気づけばほらすぐ泣いてた
Baby Can You Feel It
忘れないで
人生は儚きランデブー
大切なもの
なんてわずかしかない

B

巡り会えた
You make me happy
信じれるのは
重ねた時間

C

君の代わりはどこにもいない

笑えてるならそれでいいんだ

活動が続いている「Negiccoからの、アイドルを辞めた女の子たち、仲間へのメッセージ」というコンセプトで当初は書きました。最近のアイドルは卒業や解散がめまぐるしいですが、Negiccoは十数年活動が続いている奇跡のグループなので。

Michael Best 40

2019.8.29
西寺郷太の
Billboard Cafe Talk
"I" with高橋芳朗

1. Rock With You
2. BILLIE JEAN
3. Don't Stop 'Til You Get Enough
4. I Can't Help It
5. Another Part Of Me
6. Can't let Her Get Away
7. Dangerous
8. Off The Wall
*9. State Of Shock / JS
10. Blood On the Dance Floor
11. Speed Damon
12. Liberian Girl
13. Threatened
14. They Don't Care About Us
15. Human Nature
16. I wanna be Where You Are
17. Bad
18. The Girl Is Mine
19. With A Child's Heart
20. In The Closet
21. P.Y.T
*22. Can You Feel It
23. Music And Me
*24. Give It Up
*25. Show You The Way To Go
*26. This Place Hotel (a.k.a Heartbreak Hotel)
27. Baby Be Mine
*28. Push Me Away
*29. That's What You Get (For Being Polite)
30. Heaven Can Wait
*31. Shake Your Body (Down to The Ground)
*32. Blame It On The Boogie
⊙33. Never Can Say Goodbye
34. Heal The World
35. You Rock My World
36. (I Like) The Way You Love Me
37. Say Say Say
*38. Torture
39. The Man
40. Love Never Felt So Good

*JS
⊙J5

2019年マイケル・ジャクソンの誕生日に開催したトークショーで発表した、
その日の僕が選んだMJの楽曲トップ40です。そのときの気分によって、ランキングが変わります（笑）。

僕の著書・新潮文庫『新しい「マイケル・ジャクソン」の教科書』のあとがきを書くにあたって作ったメモです。実際のあとがきと読み比べてみると、面白いかもしれません。

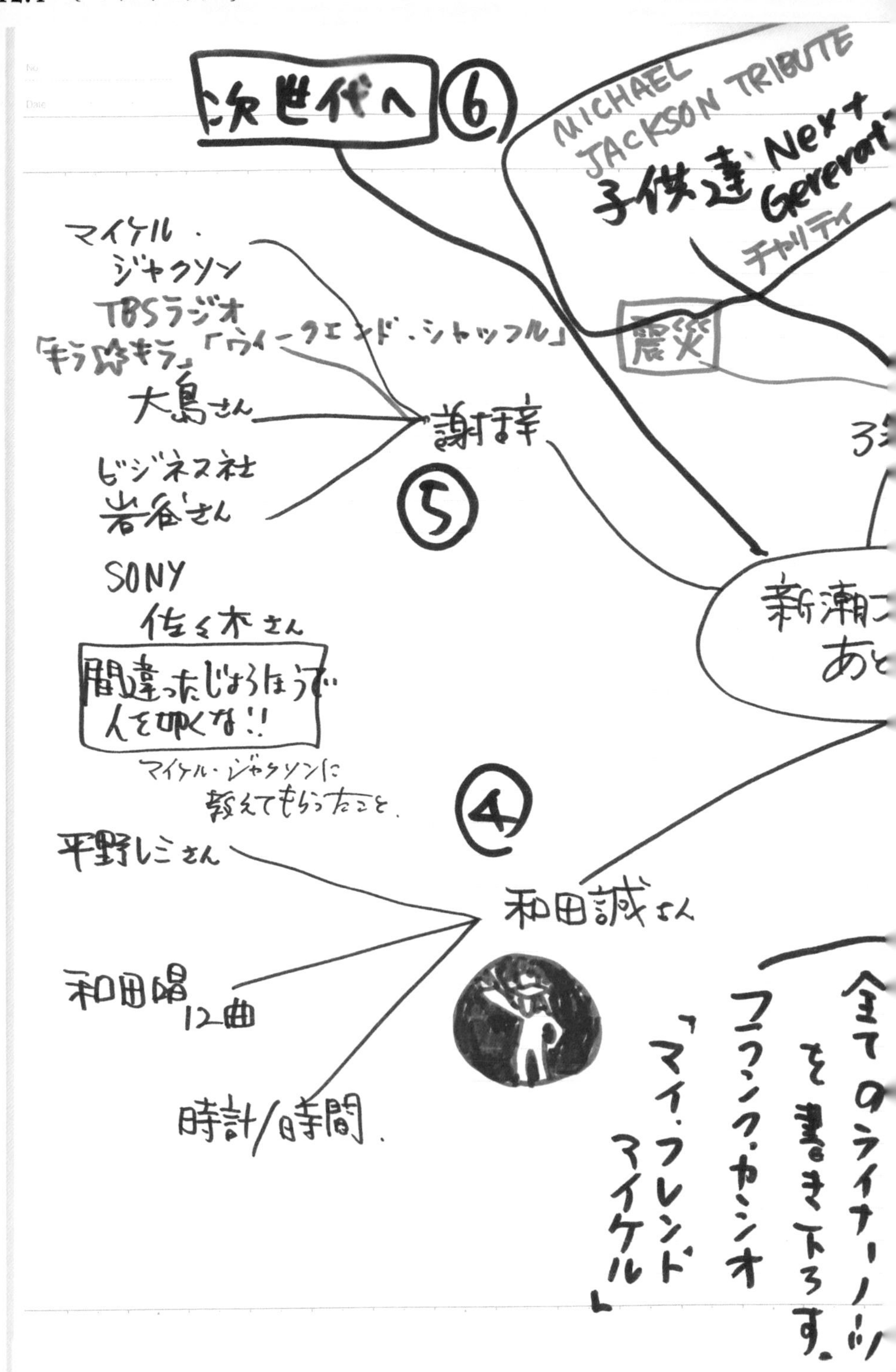


最近はあまりしていないのですが、マインドマップ形式で書いたノートです。
真ん中にテーマを置き、そこから樹状に広げて、アイデアを発展・整理していきます。

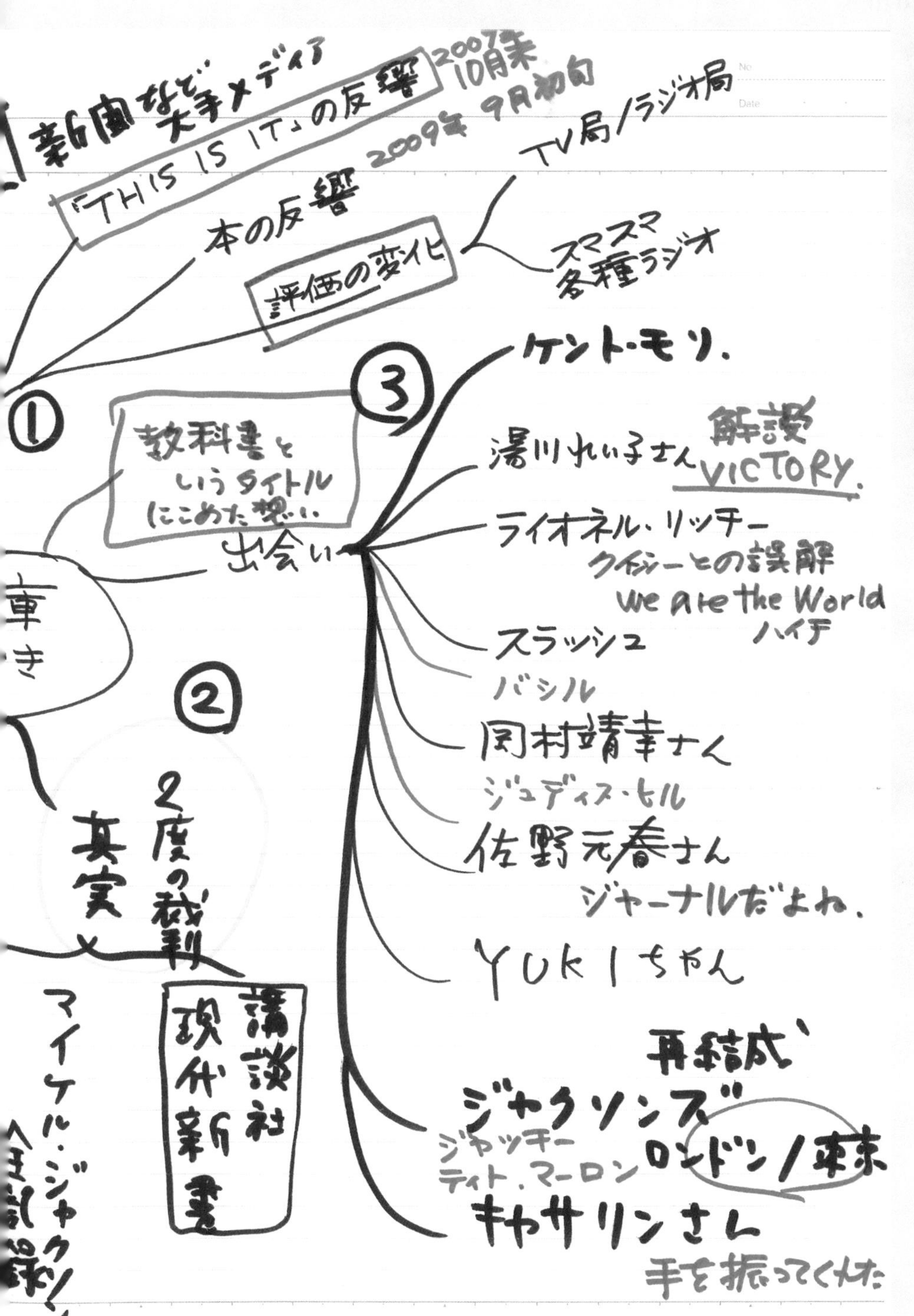


マイケルが突然この世を去ってしまったのは2009年6月25日。
その直後の2009年9月に刊行した単行本が、2012年に文庫化されました。

裏主人公の湧井正則さん以外には、すべて電話や直接会うなど登場人物、先輩たち、仲間に取材をして書いています。

90's　　主人公「ゴータ」

#ナインティーズ　　ゴータ ≒ 西寺郷太

第一章 (春)緑 ロゴ　( 敵対するもの 時間 焦り ライバル ニアリーイコール 狭い
変化を達成するため (思いこみ、世界脳

Once Upon A Time In SHIMOKITAZAWA

ミュージシャンはノンフィクション

2019年 11月

(1)　1995年4月22日(土)夕刻　Oasis (Some Might Say)　それ以外はフィクション

下北沢QUE

湧井正則さんとの出会い　STARWAGON

Slip Slide「解散」(空中分解)

「CD」を買いに渋谷タワーレコードへ

(2)　面出しプッシュのインパクト　The Boo Radleys

試聴機〈サムワン・トゥ・ダイ・フォー〉(Wake Up! Boo!) ♪

阪神・淡路大震災 / オウム真理教 地下鉄サリン事件

高橋浩司 pealout

12月

Jamiroquai "Space Cowboy" ♪

(3)　下北沢のバンド達に出会う

ナチュラル / 普通さ / ヘタウマ

フリッパーズ・ギター　吉田仁
サロン・ミュージック　今度聴いてみます!

Spotifyで、この小説に登場するアーティストや楽曲のプレイリストを作っています。
様々な観点から楽しめるように考えて小説を書いています。

文藝春秋
青 エンジ 緑 オレンジ

(4) バイト辞める決意
やめる(今日)

5月10日 給料日

Bird Song

Blur "Girls & Boys"

2020年1月
(5) エレクトリック・グラス・バルーン

筒井朋哉
Tel

・The Beatles "Free As A Bird" ♪

Produce
トーレ・ヨハンソン
Second album "LIFE"
3月1日

サニーデイ・サービス

Cardigans "Carnival"

1995年3月16日 ファーストシングル
Cardigans Carnival ♪

(6) ピールアウト

'95 6月72 ―35位

NG3 / ロンロン・クルー

新井ギャル
新井仁 Tel

皆若かった

インディーズ・レーベル

アンダーフラワー
ジャイアント・ロボット

Madonna 2月 Take A Bow ♪ 1995年秋

1995年4月23日(日)

(7) スターワゴン ディストーションズ

村井秀夫氏
刺殺事件
オウム真理教 本部前
1995 秋

7×4

↳ PENPALS AFOK
a.k.a

第二章 エンジ 黄

DAIHATSU / PRINCE 黄 ♪

(8) ノーナ・リーヴス START カセットテープ
ダビング

→ 相良千秋

最後は参考資料。手書きが全盛期だった時代（91年）に、高校3年生だった僕がワープロで作った自分のCDのクレジット&歌詞カードです。当時はこちらのほうがインパクトがあったんですよ。

## ♪PRELUDE OF WHISPER:
### 囁きの序曲

If it were a sin to hurt someone's feelings
at heart, the everyone in this world is,
so to speak, "PLATONIC-TRATORS".
They are live in a big monstrous city and they
repeat the life of looking for their real joy,
true wish, genuine love,
and after all find their disapointment...
"PLATONIC-TRATORS". Yes, you and me, too...

もし、人の心を傷つけてしまうことを罪とするならば、この世のすべての人々は、
いわば「純情な心をもった犯罪者達」なのであろう。
彼らは恐るべき巨大な街の中で、本当の喜び、心からの願望、純粋な愛を求め彷徨い、
そして結局最後には失望することをたゆまず繰り返しているのだ。
「プラトニック・トレイターズ」そう、君も僕も。

1

SPIRITUALITY "こころの唄"

## ♪INVITATION TO AFRICA:
### 亜弗利加

*Once upon a time in Africa.*
There was people who always
wants to sing and dance.
They were called by
"AFRICAN-RHYTHMINA".
*Wait...Just a wait...*
*Please take me with you..*
*Your, Your"AFRICAN-RHYTHMINA".*
*I want to go to native land.*
Take me...

昔々アフリカ大陸に、いつでも歌い踊り楽しく
暮らしている人々が住んでおったそうじゃ。

彼らの民族は「アフリカン・リズミナ」と呼ばれ
たいそう幸せそうじゃったらしいのう。
「ねぇ、ちょっと待ってよ。ねぇ、、、
僕をその場所に連れてってよ、、、
あなたの言ってる「アフリカン・リズミナ」へ
大昔あったその場所にいってみたいんだ
連れてって」

3

## SPIRITUAL DISTANCE

I don't forget your love
and may be all of you.
When you have gone,
I cried at morning till night.
I'm just like a person walk
through the memories of you.
But I just can't stop loving you.
Spiritual distance
have formed (between)me and you.
Spiritual distance
I wish would it vanish from me...
I don't know what to do
and don't know what to say to you.
So I sing a song of "SPIRITUALITY".
I just can't stop loving you.
You don't have to say,
"I love you".
You can not to...

5

**AFRICAN RHYTHMINA:**
▼ MUSIC, LYRIC & Produced by G∅TA & GEN-JYU-MIN
▼ DATE of COMPOSITION: '90 12/6
▼ DATE of RECORDING: (MUSIC) '90 12/6
(RAPS) '91 4/28

**SPIRITUAL DISTANCE:**
▼ MUSIC, LYRIC & Produced by BOBBY. J. G∅TA
▼ DATE of COMPOSITION: '90 9/28 → '91 4/30
▼ DATE of RECORDING: '91 4/30

**PROTO-TYPE:**
▼ MUSIC, LYRIC & Produced by G∅TA NISHIDERA
▼ DATE of COMPOSITION: '90 5/3 → '91 4/21
▼ DATE of RECORDING: '91 4/21

**♪GOODBYE IS FOREVER:**
▼ MUSIC, LYRIC & Produced by G∅TA NISHIDERA
▼ DATE of COMPOSITION & RECORDING: '91 5/2

同時発売 西寺郷太 書き下ろし 短編「屈折純愛的」小説
『バックグラウンドミュージック』
発売元：（株） 逆説文庫社 税込定価：¥0、000（¥0、000）
＊（株）逆説文庫社へのお問い合わせは ⇒ TEL （000）000-0000

10

＊1991

## ♪GOODBYE IS FOREVER:
### さよならは永遠に

さよならは永遠なの？ もう二度と会うこともないの？
錆びたプライドのかけら 削り落として今
こころの唄を歌えば あの頃を思い出すよ
きみの笑顔が移る 輝いてた時間
胸が熱くなるほど 輝いてる記憶
GOODBYE IS FOREVER...

さよならが永遠でも いつまでも忘れないよ
散りばめすぎた気持ちを 拾い集めて今
こころの唄を歌えば あの頃に戻れるかも
きみの涙が移る 眩しすぎた景色
胸が熱くなるほど 眩しすぎる夜明け
GOODBYE IS FOREVER...

＊製作者の意図により2番は収録されておりません。あしからずご了承ください。

8

SPIRITUALITY "こころの唄"

君のくれた愛の事は忘れない
そして多分君のすべても
僕のそばから離れてしまったときには
朝から晩まで泣き続けたくらい好きだったから
君にとっての僕は「思い出を通りすぎたただの通行人」
なのかもしれないけれど
まだ君のことを想うのをやめられないんだ
心の隙間が
ふたりの間に出来ちゃったんだ
心の距離
そんなもの目の前から消えてしまえばいいのに...
どうしたらいいのかわからないよ
君に何を言えばいいのかもわからない
だから僕は「心の唄」を唄うことにするよ
僕はやっぱりまだ君のことを愛し続けてるみたいだから
でも悲しいことに、今の君には
僕にむかって「やっぱり愛してる」なんて言う必要はないし
言える権利もないんだよ...

6

小学生の頃からデモテープを作っていた僕ですが、高校3年生で初めてアルバムを完成させました。
カセットで完成したものを、当時珍しかったCD-Rの業者に依頼しマスターを作りました。

ALL VOCALS & INSTRUMENTS(Acoustic & Electric Guitars, Bass, Drums, Rhythm Machine, Sound Effector)PERFORMED BY:
*GØTA NISHIDERA™*

GUITARS(PLATONIC TRATORS)PLAYED BY:HIDEHARU NAKATA
<From DEATHMASK>
ART DESIGNED BY: "LITTLE BOMB™" PRODUCTION LTD.

Special Thanks to:
MOTOKI"Bitchy"NAKAYA(Adviser),"MR.BASSMAN" SAKAI, KENGO AKAI, NARU ZMI, TAKESHI, KOJI, YASUHIRO ARAKI, "Baseboal Kids"ANAN, "Heatch", SHIGGY, YUKA, KUMIKO, ZI², KYOKO KIRIHARA, MUSE, WENDY, TRACY, "O-jyo-san"...

THIS ALBUM IS DEDICATED TO:
*JOHN WINSTON ONO LENNON*
and *JAMES PAUL McCARTNEY*
for your influence.


RAKUNAN HIGHLIFE-112, 1-1 MAEDA-TYO, KISSYOIN, MINAMI-KU, 〒601, KYOTO, JAPAN
1 9 7301127

SPIRITUALITY

THIS IS MY MONOLOGUE FOR THE WORLD...


Designed by "LITTLE BOMB™"PRODUCTION

**SPIRITUALITY RECORDING DATA**

♪**PRELUDE OF WHISPER**
▼ MUSIC & MESSAGES by BOBBY.J.GØTA
▼ Produced & Effected by GØTA NISHIDERA
▼ DATE of COMPOSITION & RECORDING:'91 4/13

**PLATONIC-TRATORS**:
▼ MUSIC & LYRIC by GØTA NISHIDERA
▼ Produced by GØTA NISHIDERA & HIDEHARU NAKATA
* Especially GUITAR ARRANGEMENT by HIDEHARU
▼ DATE of COMPOSITION: '90 11/23 → '91 2/13
▼ DATE of RECORDING: (MUSIC) '91 2/14.15
(VOCALS) '91 4/29

**TRACY**:
▼ MUSIC, LYRIC & Produced by GØTA NISHIDERA
▼ DATE of COMPOSITION: '91 4/2
▼ DATE of RECORDING: (MUSIC) '91 4/2
(VOCALS) '91 4/29

♪**INVITATION TO AFRICA**:
▼ MUSIC & DIALOGUES by BOBBY.J.GØTA
▼ Produced & Effected by GØTA NISHIDERA
▼ DATE of COMPOSITION & RECORDING:'91 4/13

9

## PLATONIC-TRATORS

言葉だけのプラトニクス　吐き捨てるモンスターシティ
愛なんてキレイゴト　寂しいときの言い訳
かなわないから願望　かなっちまえば失望
愛も一種のギャンブル　軽く割り切るモンキービジネス
I MUSE OVER ON YOU...
乱れればグッドタイムス　醒めればバッドタイムス
下らないミステイク　繰り返すだけ
I'M ONLY REBEL
WE'RE PLATONIC TRATORS
WE MAKE PAR∀DOX...
淫れればグッドタイムス　冷めればバッドタイムス
狂ったギターコード　かき鳴らすだけ

## TRACY

頭が割れそうさ　アスファルトの匂いで
切り刻まれた記憶に　酔い潰れて夜が通りすぎてゆく
淫らな欲望が　ミルクにとけてく街で
かきむしられた心を　一人慰めてるだけ
I just wanna hold(tell) you
今はそれだけ　おまえのことしか　思い出せない
I can't live without you
すべて失った　おまえのことさえ　信じられない　トレイシー
最初に嘘をついたのは　いったいいつのこと?
作りだした海のなかで　溺れてゆくだけ...

2

## PROTO-TYPE (DRAMATIC-VIRSION)

哀しみをひとりで　抱え込みすぎて
泣きだしてしまいそうな　オマエ
プロトタイプな恋ばかり　経験してきたせい?
どこか冷めてる　記憶

オマエの面影を　忘れてしまいたくて
頭が狂いそうな　オレ
本当の恋するには　経験不足なのに
何もかも求めすぎてた
You don't know what
you were missing, my girl
PROTO-TYPE of love

*Please give me*
*one more chance*
涙見せずに笑ってよ　悲しくさせないで
オマエは何も悪くない　自分を責めないで
(I was) missing my girl,
missing my girl...

大事なことを見失ってるよ
今の君にはまだわかってないみたい
だって、これは未完成の恋だから
君は気付いてないんだ
大切なものを失いかけてることに
やっぱりまだ試作段階の恋なんだね
もう一度
やり直させてくれたなら
僕は、この未完成な恋で
大切な君を失った
大切なものに気付かずにいた
君だけでなく僕自身も...

7

## AFRICAN-RHYTHMINA

*曲中の歌詞に原住民の言語が入りますが意味不明の為通訳できません。ご了承ください。

Welcome to, Welcome to　ようこそ、、、ようこそ、、、
my"AFRICAN-RHYTHMINA".　わしの「アフリカン・リズミナ」へ
You must be...　気をつけるんじゃぞ
You must be...　このマチじゃ、オマエみたいな奴は
You must be crazy in　気が狂ってしまうに違いないんじゃからな。
this town...

もう一度だけ言うぞ、肝に命じるのじゃ
One more time　気をつけるんじゃぞ、、
(原住民の主張)
キミハドゥウシティココニヤッテキィタ?アルノハアイトオンガァクソレダケ・ココハアフリカ・
ナァニモイラナイ・シヴァラレナイシ・カミモキラレナイ・イツマディダァッテアソンディラレルシ・
ネンジュウイツディモアタタカァイシ・ソレガァアフリカ・アフリカンリドゥミナ・クルエクルエ・
オドォリクルエ・バアンドォンロリディトランタアァカルタ・ミュオヨウクニルボヴォルンリルヴェンナ・
アヴェヴァアジズニヴゥエノスアイレス・カカイセクチニヴァリヴリヴェンチ・ミカヲミカヲ?
エリクリドオルナァ・テケリムヴァラクアイトオンガク・モトォメテルノハアイトヲンガク・
ダァケドォアフリカ・ティズノナイヴァショ・イティドォクルエヴァアヌケダセナァイ・ヌケダセナイド・
オドオリクルエ・ワライツゥドゥケテシンデュケヴァイイ

4

アルバムのタイトルは『SPIRITUALITY』。スティーヴィー・ワンダーに影響されて「こころの唄」という邦題に。GOTAのOがØなのは、BOØWYの影響、バーコードは自分の誕生日です(笑)。

# あとがき

ここまでお読みいただき、実際に「ノート作り」を試されたみなさんならば、たとえば僕があるアーティストについてメディアで話をしたり、学校で授業をしたり、はたまたNHK-FMで50時間以上にも及ぶ『ディスカバー・マイケル』というラジオ番組を構成したことも、すべてこのメソッド、ルールに基づいていたことがおわかりになったと思います。1時間なら1時間の、90分なら90分の、そして50時間なら50時間の対象への迫り方、相手への伝え方があります。
『ディスカバー・マイケル』開始の際、「50時間もマイケルの何を話すんだ、無理じゃないか?」と思う人もいたようなんですが、最初から僕は「出来る」と思っていました。すべては全体の把握と時間の分割、そしてそれを可視化、言語化して人と共有し得るかという問題ですから。

実のところ僕がラジオ等で、特にマイケル・ジャクソンやプリンスなどについて話す場合、情報の「90%」は頭に入ってるんで、ノートがなくても大丈夫なんです。ただ事実の正確性と、相手との会話のグルーヴの中で話題が二転三転したときに、どうやって元いた場所に戻ってくるかの「マップ」が必要で。その残り「10%」のために毎回ノートを作っています。そしてこの地味に見える作業こそ様々な場面で応用できるというのが、今回一番伝えたいことなんです。

僕は音楽が大好きな子どもでした。今、幸いなことに、ミュージシャンとして音楽を作り、様々なメディアで大好きなアーティストたちの話をすることができています。だから今回ワークショップでテーマにした「ジャーメイン・ジャクソン」は、たまたま僕の専門分野である音楽をテーマにしていますが、学生の方であれば勉強に、大人の方は企画やビジネス、生活などに活かしてもらいたくて。何かについて人に説明しなければいけない、締め切りまでに何かアイデアを出さなければいけない、不動産屋さんとバトルをしなければいけない(笑)、PTAや学校や会社など組織で揉めて解決しなければいけない……。とにかくなんでもありです。いろいろな日常の場面で事実を記して問題点をドライに並べ

「ノートを作ってみる」と意外にスムーズに解決することも多い、それが僕の持論です。

一旦、自分で紙に書いて問題点をビジュアル化し、自分の中に情報を入れて整理する。そして、人に説明できるようにする。現代のように不当な攻撃がどこから襲ってくるかわからない「情報社会」では、正確な把握と伝達のスキルは身を守る盾にもなるとも僕は考えます。

当たり前のように繰り返されてきた授業の中で受動的に学んでいた子どもたちが、この『始めるノートメソッド』を使って、突然理解できるようになる可能性も高いと思っています。ノートを作る楽しみや完成した喜びがプラモデルや絵画のように、ひとつのホビーになり得るということ。子どもの頃、夏休みにラジオ体操に行くとハンコを押してもらえて増えてゆくのが嬉しかったことを思い出しますが、自分で考えて作ったノートはのちに見返してみたとき、存在自体が自信につながるはずです。

僕は「学ぶ」「考える」「伝える」「説明する」「生み出す」ということの根本と実践方法を、『伝わるノートマジック』『始めるノートメソッド』の2冊で提示しました。

最後に。ノート作りは1種類ではありません。この本で紹介したものは僕が30年以上かけて何気なく積み重ねたどり着いた「1つのスキル」。なので、「やっぱり、私にはこっちのほうが便利」などといういろんなノート術があっていいと思っています。でもまずは1つ、パターンを身につけてみることで、「郷太はああ言うけど、自分はこうなんだよね」という発展がそれぞれに出てくれば、僕にとっても嬉しいですし、正しいことだと思います。

P.S. ぜひ出来上がったノートは「#始メソ」とタグを付けてSNSにアップしてください。僕や出版社のスタッフも、ちょくちょく検索をしてコメントをお返ししますので。ノート最高！

西寺郷太（にしでら・ごうた）

1973年東京都生まれ京都府育ち。バンド「ノーナ・リーヴス」のボーカリスト、メインコンポーザーを務める。音楽プロデューサー、作詞・作曲家として、V6、岡村靖幸、YUKIなどへの楽曲提供・プロデュースを行う。また80年代音楽研究家として、マイケル・ジャクソン、プリンスなどのオフィシャル・ライナーノーツなども数多く手がける。
著書に『伝わるノートマジック』（スモール出版）、『新しい「マイケル・ジャクソン」の教科書』（新潮文庫）、『ウィ・アー・ザ・ワールドの呪い』（NHK出版新書）、『プリンス論』（新潮新書）などがある。

始めるノートメソッド

発行日　2020年5月28日　第1刷発行

著者　西寺郷太

編集　中村孝司（スモールライト）
デザイン　大西隆介＋沼本明希子（direction Q）
執筆協力　飯田一史
撮影　沼田学
制作協力　室井順子（スモールライト）
校正　芳賀恵子

Special Thanks
矢島淳、中井秀児（KOKOMO BROTHERS Ltd.）、
どんぐり、めぐみ、かりん、まんなか、有高唯之

発行者　中村孝司
発行所　スモール出版
〒164-0003　東京都中野区東中野3-14-1
グリーンビル4階　株式会社スモールライト

TEL 03-5338-2360 / FAX 03-5338-2361
E-mail　books@small-light.com
URL　http://www.small-light.com/books/
振替　00120-3-392156

印刷・製本　中央精版印刷株式会社

　ISBN978-4-905158-76-9